Sigrid Nunez

O AMIGO

Sigrid Nunez

Romance

O AMIGO

TRADUÇÃO
Carla Fortino

instante

Direção Editorial: **Silvio Testa**

Coordenação Editorial: **Carla Fortino**
Preparação: **Fabiana Medina**
Revisão: **Andréa Vidal** e **Juliana Rodrigues**
Capa: **Fabiana Yoshikawa**
Tratamento de Imagem: **Aldo Macedo**
Diagramação: **Estúdio Dito e Feito**

Imagens: **Eric Isselée/Adobe Stock** (capa),
Helga Mariah/Shutterstock (ilustração da silhueta do cachorro)

1ª Edição: 2019 | 1ª Reimpressão: 2020

Dados Internacionais de Catalogação na Publicação (CIP)
(Laura Emília da Silva Siqueira CRB 8/8127)

Nunez, Sigrid.
O amigo / Sigrid Nunez ; tradução, Carla Fortino.
1ª ed. São Paulo: Editora Instante : 2019.
Tradução do original "The friend",
vencedor do National Book Award 2018.

ISBN 978-85-52994-09-1

1. Literatura norte-americana
2. Literatura norte-americana: romance
I. Nunez, Sigrid

CDU 821.111 (73) CDD 813

Índices para catálogo sistemático:
1. Literatura norte-americana
2. Literatura norte-americana: romance
CDD813

Texto fixado conforme o Acordo Ortográfico da
Língua Portuguesa de 1990, em vigor no Brasil a partir de 2009.

www.editorainstante.com.br
facebook.com/editorainstante
instagram.com/editorainstante

O amigo é uma publicação da Editora Instante.

Você tem que perceber que não pode esperar
consolar-se da sua dor com a escrita.

Natalia Ginzburg, "My vocation" [Minha vocação]

○⊱⊰○

Você verá um grande baú, instalado no meio do chão,
e sobre ele um cão sentado, os olhos do tamanho de xícaras.
Mas você não precisa ter medo dele.

Hans Christian Andersen, "A caixa de fósforos"

○⊱⊰○

A pergunta que qualquer romance está de fato
tentando responder é: A vida vale a pena?

Nicholson Baker, "The Art of Fiction No. 212"
[A arte da ficção n. 212], *The Paris Review*

Parte 1

Durante a década de 1980, na Califórnia, um grande número de mulheres cambojanas foi ao médico com a mesma queixa: elas não podiam enxergar. Eram todas refugiadas de guerra. Antes de fugirem de sua terra natal, elas testemunharam as atrocidades pelas quais o Khmer Vermelho, que estivera no poder de 1975 a 1979, era bem conhecido. Muitas delas haviam sido estupradas, torturadas ou, sob outros aspectos, brutalizadas. A maioria testemunhara membros da família serem assassinados. Uma mulher, que nunca mais viu o marido e os três filhos depois que os soldados vieram e os levaram, disse que havia perdido a visão após ter chorado todos os dias durante quatro anos. Ela não era a única que parecia ter chorado até ficar cega. Outras sofriam de visão turva ou parcial, os olhos perturbados por sombras e dores.

Os médicos que examinaram as mulheres — cerca de cento e cinquenta ao todo — descobriram que os olhos de todas eram normais. Outros testes mostraram que o cérebro delas também era normal. Se as mulheres estivessem dizendo a verdade — e havia quem duvidasse disso, quem achasse que fingiam porque queriam atenção ou esperavam receber algum benefício graças à deficiência —, a única explicação seria cegueira psicossomática.

Em outras palavras, a mente das mulheres, forçada a absorver tanto horror e incapaz de assimilar mais, conseguiu apagar as luzes.

Essa foi a última coisa sobre a qual conversamos quando você ainda estava vivo. Depois, houve apenas seu e-mail com uma bibliografia que achava que poderia ser útil para minha pesquisa. E, porque era fim de ano, os melhores votos para o Ano-Novo.

Houve dois erros no seu obituário. A data em que você se mudou de Londres para Nova York: um ano de diferença. E a ortografia do nome de solteira da Esposa Um. Pequenos erros que foram corrigidos mais tarde, mas que todos nós sabíamos que o teriam incomodado.

Na sua homenagem póstuma, no entanto, ouvi algo que teria divertido você:

Eu queria poder rezar.

E o que o impede disso?

Ele.

Teria, teria. Os mortos habitam o condicional, o tempo irreal. Mas há também a extraordinária sensação de que você se tornou onisciente, de que nada do que fazemos, pensamos ou sentimos pode ser escondido de você. A sensação extraordinária de que está lendo estas palavras, de que sabe o que elas dirão antes mesmo que eu as escreva.

É verdade que, se você chorar bastante por bastante tempo, pode acabar com a visão embaçada.

Eu estava deitada, já era o meio do dia, mas estava na cama. Todo aquele pranto me dava dor de cabeça, eu tinha uma dor de cabeça latejante havia dias. Levantei-me e fui olhar pela janela. Ainda era inverno, estava frio perto da janela, havia uma corrente de ar. Mas me senti bem — como foi bom pressionar a testa contra o vidro gelado. Fiquei piscando, mas meus olhos não se tornaram límpidos. Pensei nas mulheres que choraram até ficar cegas. Pisquei e pisquei, o medo crescendo. Então vi você. Usava sua jaqueta marrom, aquela bem justa — e só ficava bem em você por causa disso —, e seu cabelo era escuro, grosso e comprido. Foi assim que eu soube que precisávamos voltar no tempo. Um passado distante. Quase trinta anos.

Aonde você estava indo? A nenhum lugar em particular. Sem destino, sem compromisso. Apenas passeando, as mãos nos bolsos, saboreando a rua. Era o que gostava de fazer. *Se não posso andar, não posso escrever.* Você trabalhava pela manhã e, em determinado momento, o qual sempre chegava, quando você parecia incapaz de escrever uma frase simples, saía e caminhava por quilômetros. Malditos eram os dias em que o mau tempo impedia isso (o que raramente acontecia, pois você não se importava com o frio ou com a chuva, apenas uma tempestade poderia frustrá-lo). Quando voltava, sentava-se novamente para trabalhar, tentando manter o ritmo estabelecido durante a caminhada. E, quanto mais tivesse tido êxito nisso, melhor seria a escrita.

Porque tudo tem a ver com ritmo, você disse. Boas frases começam com uma batida.

Você postou um ensaio, "Como ser um *flâneur*", sobre o costume de passear e andar sem destino na cidade e o lugar que isso ocupa na cultura literária. Recebeu algumas críticas por questionar se realmente poderia haver uma *flâneuse*. Você não achava possível uma mulher vagar pelas ruas com o mesmo espírito e o mesmo comportamento de um homem. Uma pedestre estava sujeita a interrupções constantes: olhares, comentários, assobios, assédios. A mulher é criada para estar sempre em guarda: Esse cara não está andando muito perto dela? Será que não a está seguindo? Como, então, ela poderia relaxar o suficiente para experimentar a perda do senso do eu, a alegria do puro ser que era o ideal da verdadeira *flânerie*?

Você concluiu que, para as mulheres, o equivalente a isso provavelmente seria fazer compras — de maneira específica, o tipo de perambulação que as pessoas fazem quando não querem comprar nada.

Eu não achava que estivesse errado sobre isso. Conheço muitas mulheres que se preparam psicologicamente para sair de casa e algumas que até evitam sair. Claro, a mulher só precisa esperar até que atinja certa idade, quando se torna invisível, e o problema está resolvido.

E perceba que você usou a palavra *mulheres* quando o que realmente pretendia dizer era mulheres jovens.

Tenho caminhado bastante ultimamente, mas nada de escrever. Perdi meu prazo. Foi dada uma prorrogação compassiva. Perdi o novo prazo também. Agora o editor acha que estou fugindo do trabalho.

Não fui a única que cometeu o erro de pensar que, por ser algo de que você falava muito, era algo que não faria. E, afinal, você não era a pessoa mais infeliz que conhecíamos. Não era a mais deprimida (pense em G., D. ou T.R.). Nem mesmo era — por mais estranho que pareça dizer isso — a mais suicida.

Por causa da época, tão perto do início do ano, foi possível pensar que fora uma resolução.

Uma das vezes em que falou disso, você disse que o que o impediria era seus alunos. Você, naturalmente, estava preocupado com o efeito que tal exemplo poderia exercer sobre eles. No entanto, não pensamos nisso quando deixou de lecionar no ano passado, embora soubéssemos que gostava de lecionar e que precisava do dinheiro.

Em outra ocasião você disse que, para uma pessoa que atingiu uma certa idade, poderia ser uma decisão racional, uma escolha perfeitamente correta, uma solução até. Bem diferente de quando um jovem comete suicídio, o que só poderia ser um erro.

Uma vez, você nos fez morrer de rir com a frase *Acho que prefiro a vida curta como um conto.*

Stevie Smith dizendo que a Morte é o único deus que deve vir quando é chamado divertiu você, assim como as várias maneiras pelas quais as pessoas disseram que, se não fosse pelo suicídio, não conseguiriam continuar.

Ao caminhar com Samuel Beckett em uma bela manhã de primavera, um amigo lhe perguntou: Um dia como esse não deixa você feliz por estar vivo? Eu não iria tão longe assim, respondeu Beckett.

E não foi você quem nos contou que Ted Bundy já atendeu ligações em um centro de prevenção de suicídio?

Ted Bundy.

Oi. Meu nome é Ted e estou aqui para ouvir. Fale comigo.

Saber que haveria uma homenagem póstuma nos pegou de surpresa. Ouvimos você dizer que nunca ia querer algo assim, que tal ideia lhe era repugnante. A Esposa Três simplesmente escolheu ignorar isso? Foi porque você não conseguiu registrá-lo por escrito? Como a maioria dos suicidas, você não deixou um bilhete. Nunca entendi por que é chamado de *bilhete*. Deve haver alguns que não são curtos.

Em alemão, chamam de *Abschiedsbrief*: carta de despedida. (Melhor.)

Seu desejo de ser cremado fora respeitado, pelo menos, e não houve funeral nem *shivá*. O obituário enfatizou seu ateísmo. *Entre religião e conhecimento, ele disse, uma pessoa deve escolher o conhecimento.*

Um comentário: Que coisa absurda para quem sabe alguma coisa sobre a história judaica dizer.

No momento em que a homenagem póstuma aconteceu, o choque passou. As pessoas se distraíam com especulações sobre como seria ter todas as esposas em um único quarto. Para não mencionar as namoradas (todas elas juntas, essa foi a piada, não caberiam em um quarto).

Exceto pela apresentação de *slides* que se repetia automaticamente, com a lembrança martirizante da beleza e da juventude perdidas, não foi muito diferente de outros eventos literários. As pessoas que se socializavam na recepção eram ouvidas falando sobre dinheiro, prêmios literários como reparações e a última resenha sobre *morra, autor, morra*. O decoro, nesse caso, significava nenhuma lágrima. As pessoas usaram a oportunidade para se conectar e se atualizar. Fofocas e acenos de cabeça sobre o excesso de compartilhamentos do artigo *in memoriam* da Esposa Dois (e agora o boato de que ela o está transformando em livro).

A Esposa Três, deve-se dizer, parecia radiante, embora fosse uma resplandecência fria como a de uma lâmina. Trate-me como um objeto digno de compaixão, era o que a postura dela anunciava, e se insinuar que fui, de alguma maneira, culpada, eu vou dilacerar você.

Fiquei emocionada quando ela me perguntou como estava indo o meu livro.

Mal posso esperar para ler, ela disse, falsamente.

Não tenho certeza se vou terminar, eu disse.

Ah, mas você sabe que ele gostaria que você terminasse. (*Gostaria.*)

Esse hábito desconcertante que ela tem de balançar lentamente a cabeça enquanto fala, como se negasse cada palavra que diz.

Alguém semifamoso se aproximou de nós. Antes de se afastar, ela disse: Tudo bem se eu ligar para você?

Saí cedo. Ao me dirigir para a saída, ouvi alguém dizer, Espero que haja mais pessoas na *minha homenagem póstuma* do que nesta.

E mais: agora ele é oficialmente um homem branco morto.

É verdade que o mundo literário é um campo minado de ódio, um cenário de batalha cercado de franco-atiradores em que ciúme e rivalidade estão sempre em jogo?, perguntou o entrevistador da National Public Radio a respeito do ilustre autor, que permitiu que fosse assim. Há muita inveja e inimizade, disse o autor. E tentou explicar: É como uma jangada afundando na qual muitas pessoas estão tentando subir. Então, qualquer empurrão que você consiga dar faz com que a embarcação fique um pouco mais alta para você.

Se a leitura realmente aumenta a empatia, como nos dizem com frequência, parece que o ato de escrever leva um pouco dela embora.

Certa vez, em uma conferência, você surpreendeu a plateia dizendo: De onde todas as pessoas tiraram a ideia de que ser escritor é algo maravilhoso? Não é uma profissão, mas uma vocação de infelicidade, disse Simenon a respeito do ato de escrever. Georges Simenon, que escreveu centenas de romances usando o próprio nome, outras centenas sob duas dúzias de pseudônimos, e que, ao se aposentar, era o autor mais vendido no mundo. É muita infelicidade.

Quem se gabava de ter fodido nada menos que dez mil mulheres, muitas, se não a maioria delas, prostitutas, e que se considerava feminista. Quem tinha como mentora literária ninguém menos que Colette e como amante ninguém menos que Josephine Baker, embora se diga que ele terminou o caso porque interferia demais no trabalho, desacelerando a produção daquele ano para a quantidade desprezível de doze romances. Quem, ao ser indagado sobre o que o tornou um romancista, respondeu: Meu ódio por minha mãe. (Há muito ódio aí.)

Simenon, o *flâneur*: Todos os meus livros vieram até mim enquanto eu caminhava.

Tinha uma filha que era psicoticamente apaixonada por ele. Quando ainda era garotinha, ela lhe pediu uma aliança de casamento, e ele lhe deu. Teve o anel alargado para caber em seu dedo conforme crescia. Aos vinte e cinco anos, ela se matou com um tiro.

Pergunta: Onde uma jovem parisiense consegue uma arma?

Resposta: De um armeiro, ela leu em um dos romances de seu *Papa*.

Um dia, em 1974, na mesma sala de aula da universidade onde às vezes leciono, uma poeta anunciou na oficina que ministrava naquele semestre: Posso não estar aqui na semana que vem. Mais tarde, em casa, vestiu o velho casaco de pele da mãe e, com um copo de vodca na mão, trancou-se na garagem.

O velho casaco de pele da mãe é o tipo de detalhe que os professores de escrita criativa gostam de destacar para os alunos, um desses detalhes reveladores — como a maneira pela qual a filha de Simenon conseguiu a arma — que são encontrados em abundância na vida, mas muitas vezes são negligenciados na ficção estudantil.

A poeta entrou em seu carro, um Cougar vermelho-tomate 1967, e ligou a ignição.

No primeiro curso de escrita criativa que ministrei, depois de enfatizar a importância do detalhe, um aluno levantou a mão e disse: Discordo totalmente. Se alguém quiser um monte de detalhes, que veja televisão.

Um comentário que depois eu entenderia não ter sido tão idiota quanto parecia.

O mesmo aluno também me acusou (as palavras dele foram *escritores como você*) de tentar assustar as pessoas fazendo com que o ato de escrever parecesse muito mais difícil do que era.

Por que haveríamos de querer isso?, perguntei.

Ah, por favor, ele disse. Não é óbvio? Vocês não querem dividir seu lugar ao sol.

Meu primeiro professor de escrita criativa dizia aos alunos que, se houvesse outra coisa que eles pudessem fazer na vida em vez de se tornarem escritores, qualquer outra profissão, deveriam optar por ela.

Ontem à noite, na estação Union Square, um homem tocava “La vie en rose” em uma flauta, *molto giocoso*. Nos últimos tempos, tornei-me vulnerável a músicas-chiclete, e a melodia, na interpretação animada do flautista, está me atormentando o dia todo. Dizem que a melhor maneira de se livrar de uma música-chiclete é escutá-la inteira algumas vezes. Ouvi a versão mais famosa, com Edith Piaf, claro, que escreveu a letra e cantou a música pela primeira vez em 1945. Agora é a voz estranha, balbuciante, a alma da França, do Pequeno Pardal que não sai da minha cabeça.

Também na estação Union Square havia um homem segurando uma placa: Diabético Sem-Teto e Sem Dentes. Essa é uma boa placa, disse um passageiro, enquanto jogava uns trocados no copo de papel do homem.

Às vezes, quando estou no computador, uma janela abre sozinha: Você está escrevendo um livro?

O que será que a Esposa Três quer falar comigo? Não sou tão curiosa assim quanto você esperaria. Se você tivesse deixado uma carta ou mensagem para mim, sem dúvida já estaria comigo. A Esposa Três pode estar planejando alguma outra homenagem, uma compilação de, digamos, lembranças escritas, e, se esse for o caso, ela estará outra vez fazendo algo que você disse que não queria.

Estou com receio desse encontro, não porque não goste dela (eu gosto), mas porque não quero fazer parte de nenhum desses ritos.

E não quero falar sobre você. Nosso relacionamento era um tanto incomum, nem sempre fácil de os outros entenderem. E nunca perguntei, e portanto nunca soube, o que você dizia a suas esposas a respeito de nós. Sempre fui grata pelo fato de a Esposa Três, embora ela nunca tenha sido minha amiga como a Esposa Um, ao menos não ser minha inimiga como a Esposa Dois.

Não era culpa dela o fato de seu casamento ter implicado ajustes nas suas amizades, é isso o que os casamentos fazem. Nós dois ficávamos mais próximos quando você estava nos períodos entre esposas, os quais nunca duraram muito, porque você era, em um grau quase patológico, incapaz de ficar sozinho. Certa vez você me disse que, com poucas exceções, como quando viajava a trabalho, em uma turnê de divulgação de livro, por exemplo (e nem sempre, até mesmo naquela ocasião), não tinha dormido sozinho uma única noite em quarenta anos. No período entre esposas havia sempre uma namorada. No período entre namoradas havia encontros de uma noite. (Havia também o que você chamava de "rapidinhas", mas isso não envolvia dormir.)

Uma pausa aqui para uma confissão, e não sem certa vergonha: Nunca ouvi a notícia de que você tinha se apaixonado sem sentir uma pontada de ciúme, nem podia evitar uma onda de alegria cada vez que tomava conhecimento de que você tinha terminado com alguém.

Não quero falar de você nem ouvir os outros falarem de você. É um clichê, claro: falamos sobre os mortos para lembrá-los, para mantê-los, da única maneira que podemos, vivos. Mas descobri que, quanto mais pessoas falam de você, por exemplo aquelas que falaram na homenagem póstuma — pessoas que o amavam, pessoas que o conheciam bem, pessoas muito boas com as palavras —, mais você parece escapar, mais se torna uma espécie de holograma.

ᴑ⊱⊰ᴑ

Estou aliviada porque pelo menos não fui convidada para ir à sua casa. (Ainda é a *sua casa*.) Não que eu tenha uma conexão particularmente forte com o lugar, estive lá apenas duas ou três vezes nos vários anos em que ela foi o seu lar. Lembro-me bem da minha primeira visita, não muito depois de você ter se mudado, quando fiz um *tour* pela casa estilo Brownstone, admirando as estantes embutidas e os belos tapetes dispostos sobre velhos pisos de nogueira, e fazendo-me lembrar de como os escritores contemporâneos burgueses são na essência. Certa vez, durante um jantar soberbo na casa de outro escritor, alguém mencionou a famosa regra de Flaubert sobre viver como um burguês e pensar como um semideus, embora eu nunca tenha entendido como a vida de um homem selvagem se assemelhava à de qualquer burguês comum. Hoje (a mesa concordou), o boêmio irresponsável praticamente deixou de existir, substituído pelo *hipster* célebre por seu conhecimento, por seu consumo consciente, por seu paladar e por outros gostos cultivados. E, justo ou não, afirmou nosso anfitrião ao abrir uma terceira garrafa de vinho, muitos escritores hoje admitem ter sentimentos de constrangimento e até mesmo vergonha por sua atividade.

Vocês que se mudaram para lá décadas antes do *boom* ficaram desanimados ao ver o Brooklyn se transformar em uma marca e se surpreenderam com o fato de o distrito ter se tornado tão difícil de ser objeto de escrita quanto era escrever sobre a contracultura dos anos 1960: não importa quão sério alguém estivesse determinado a ser, a tinta da paródia se infiltrava nele.

Tão famosas quanto as palavras de Flaubert são as de Virginia Woolf: *Não se pode pensar bem, amar bem, dormir bem, quando não se jantou bem*. Entendido. Mas o artista faminto nem sempre foi um mito, e quantos pensadores viveram como indigentes ou foram parar em túmulos de indigentes.

Woolf chama Flaubert e Keats de homens geniais que sofriam ferozmente por causa da indiferença do mundo em relação a eles. Mas o que você imagina que Flaubert teria pensado dela — ele que disse que todas as artistas do sexo feminino eram vagabundas? Ambos criaram personagens que tiram a própria vida, assim como Woolf fez consigo mesma.

Houve um tempo — e isso foi há muito tempo — em que você e eu nos víamos quase todos os dias. Mas nos últimos anos poderíamos até viver em países diferentes, e não apenas em distritos diferentes, mantendo o contato regular sobretudo por e-mail. No ano passado todo, nós nos encontramos mais por acaso, em uma festa, uma leitura ou algum outro evento, do que por termos combinado.

Então por que tenho tanto medo de pôr os pés em sua casa?

Eu poderia me descontrolar, penso, ao vislumbrar alguma peça de roupa conhecida, um livro ou uma fotografia, ou mesmo ao sentir seu cheiro. E não quero ficar descontrolada assim, ah meu Deus, não com sua viúva diante de mim.

Você está escrevendo um livro? Você está escrevendo um livro? Clique aqui para saber como publicá-lo.

Ultimamente, desde que comecei a escrever isto aqui, uma mensagem nova tem pulado na tela.

Sozinho? Assustado? Deprimido? Ligue para o Centro de Prevenção ao Suicídio, 24 horas.

O único animal que comete suicídio é também o único que chora. Embora eu tenha ouvido que cervos exaustos da caçada, sem terem como escapar dos cães, às vezes derramam lágrimas. Casos de elefantes que choram também foram relatados, e, claro, as pessoas vão contar qualquer coisa a respeito de seus cães e gatos.

De acordo com os cientistas, as lágrimas dos animais são lágrimas de estresse, e não devem ser confundidas com as dos seres humanos.

A composição química das lágrimas de emoção nos humanos é diferente daquelas que se formam para lavar ou lubrificar o olho, como em decorrência de alguma irritação. Sabe-se que a liberação dessas substâncias químicas pode ser benéfica para quem chora, o que ajuda a explicar por que as pessoas acham que se sentem melhor depois de chorar bastante e, talvez, também elucide o motivo da popularidade sem fim dos filmes feitos para chorar.

Dizem que Laurence Olivier era frustrado porque, diferentemente de muitos outros atores, não chorava sob demanda. Seria interessante saber a composição química das lágrimas produzidas por um ator e a qual dos dois tipos elas pertencem.

No folclore e em outras ficções, as lágrimas humanas, bem como o sêmen e o sangue humanos, podem ter propriedades mágicas. No fim da história de Rapunzel, quando, após anos de separação e tristeza, ela e o príncipe se reencontram e se abraçam, as lágrimas dela caem nos olhos do rapaz e restauram milagrosamente a visão que ele havia perdido nas mãos da bruxa.

Uma das muitas lendas sobre Edith Piaf também diz respeito a uma restauração milagrosa da visão. A ceratite, que a cegou por vários anos quando criança, foi tida como curada depois que algumas prostitutas que trabalhavam no bordel de sua avó, que na época também era a casa da pequena Edith, a levaram em peregrinação para homenagear Santa Teresa de Lisieux. Essa história poderia ser apenas mais um conto de fadas, mas Jean Cocteau descreveu Piaf como tendo, nos momentos em que cantava, "os olhos de uma pessoa cega contemplada por um milagre, os olhos de um clarividente".

Mas, por dois dias, eu fiquei cega. [...] *O que eu vi? Nunca saberei.* Palavras de uma poeta descrevendo um episódio de sua infância, um período marcado por violência e miséria. Louise Bogan. Que também disse: *Devo ter experimentado violência desde o nascimento.*

Achei que conhecesse a história dos Grimm de cor, mas esqueci que o príncipe tenta se suicidar. Ele acredita na bruxa, quando ela lhe diz que ele nunca mais verá Rapunzel, e se joga da torre. Em minha memória, a bruxa o cegara com as unhas — e ela ainda ameaçava que o gato que havia pegado seu lindo passarinho também arranharia os olhos dele. Mas é porque o príncipe se joga que ele perde a visão. Onde cai há espinhos, que perfuram seus olhos.

Mas, mesmo quando criança, eu já achava que a bruxa tinha o direito de ficar com raiva. Promessa é dívida, e ela não lançou nenhum feitiço para os pais desistirem da filha. Ela cuidou bem de Rapunzel, protegendo-a do mundo grande e malvado. Não parecia justo que o primeiro rapaz bonito que aparecesse a levasse embora.

Durante o período da infância em que os contos de fada eram minha leitura favorita, eu tinha um vizinho cego. Embora fosse um homem feito, morava com os pais. Os olhos dele estavam sempre escondidos atrás de grandes óculos escuros. Eu me sentia confusa com o fato de uma pessoa cega precisar proteger os olhos da luz. O que se podia ver do restante de seu rosto era viril e bonito, como o de *O homem do rifle*, série a que eu assistia na TV. Ele poderia ter sido uma estrela de cinema ou um agente secreto, mas, na história que escrevi sobre ele, era um príncipe ferido, e as lágrimas que o salvavam eram as minhas.

"Espero que este lugar seja adequado. Foi muito gentil da sua parte vir até aqui."

Minha ida até ali, como ela sabe, levou menos de trinta minutos, mas ela é uma mulher atenciosa, a Esposa Três. E "este lugar" é um charmoso café ao estilo europeu, bem na esquina da sua casa. (Ainda é a *sua casa*.) Um cenário perfeito para uma mulher tão elegante e bonita, pensei, quando entrei e a vi sentada a uma mesa perto da janela — sem se distrair com um dispositivo eletrônico, como faziam todos os que estavam ali sozinhos (e até mesmo alguns que não estavam sós), mas contemplando a rua.

Ela é o tipo de mulher que sabe cinquenta maneiras de amarrar um lenço foi uma das primeiras coisas que você nos contou sobre ela.

Não é pelo fato de ela não aparentar ter sessenta anos, mas por fazer parecer fácil ser atraente aos sessenta. Lembro-me de como ficamos surpresos quando você começou a sair com ela, uma viúva quase da sua idade. Estávamos pensando, claro, na Esposa Dois e em outras ainda mais jovens, e em como, dadas as suas inclinações, era apenas uma questão de tempo até aparecer alguma mais jovem que sua filha. Concordamos que deviam ter sido os conflitos do seu segundo casamento, que você dizia que o envelheceram dez anos, que o levaram aos braços de uma mulher de meia-idade.

Mas, assim como a admiro — o cabelo recém-cortado e tingido, a maquiagem, as mãos lindamente feitas do mesmo jeito que sei que os pés calçados também estão lindamente feitos —, também sou incapaz de reprimir certo pensamento, o mesmo que tive quando a vi na homenagem póstuma e me peguei recordando uma reportagem sobre um casal cujo filho havia sumido enquanto a família estava de férias. Os dias haviam passado, a criança continuava desaparecida, não havia pistas do paradeiro dela, e a sombra de uma dúvida recaiu sobre os próprios pais. Eles foram fotografados saindo de uma delegacia, um casal de aparência comum cujos rostos não eram marcantes. O que me chamou atenção foi o fato de a mulher estar usando batom e joias: colar — um medalhão, eu acho — e um par de grandes brincos de argola. O fato de, em um momento como esse, a pessoa não ter problema em usar maquiagem e joias me deixou impressionada. Eu esperava que ela parecesse alguém sem teto.

E agora novamente, no café, penso: ela é a esposa, ela encontrou o corpo. Mas aqui, assim como na homenagem póstuma, ela fez todos os esforços para parecer não apenas apresentável, não apenas recomposta, mas para mostrar o seu melhor: rosto, vestido, ponta dos dedos, raízes do cabelo — tudo meticulosamente cuidado.

Não é desaprovação o que sinto, apenas reverência.

Ela era diferente: uma das poucas pessoas em sua vida que não estavam de um jeito ou de outro ligadas ao mundo literário ou acadêmico. Trabalhou como consultora de gestão na mesma empresa de Manhattan desde que se formou em administração. Mas, ei, ela lê mais do que eu, você dizia às pessoas, de uma forma que nos fazia encolher. Desde o início educada, mas distante de mim, satisfeita em aceitar-me como uma de suas amigas mais antigas, enquanto permanecia apenas sendo minha conhecida. Melhor isso, de longe, do que o ciúme louco da Esposa Dois, que exigiu que você parasse de manter contato comigo ou com qualquer outra mulher do seu passado. A nossa amizade, em particular, a irritou; ela a chamou de relacionamento incestuoso.

Por que "incestuoso"?, perguntei.

Você deu de ombros e disse que ela queria dizer que éramos muito próximos.

Ela nunca acreditaria que não estávamos transando.

Certa vez, quando falávamos ao telefone, eu disse algo que fez você rir. Ao longe, eu a ouvi reclamar que estava tentando ler. Como você a ignorou e continuou rindo, ela ficou furiosa. Jogou o livro na sua cabeça.

Você disse não. Concordou em me ver com menos frequência, mas se recusou a me abandonar completamente.

Por um tempo aturou os acessos de raiva, os objetos arremessados, os gritos e os choros, as reclamações dos vizinhos. E então mentiu. Por anos nos encontramos às escondidas, como se realmente fôssemos amantes. Uma relação tóxica. A hostilidade dela nunca diminuiu. Se nossos caminhos se cruzassem, o olhar dela me fulminava. Até na homenagem póstuma ela me lançou um olhar fulminante. A filha dela — a sua filha — não estava presente. Ouvi alguém dizer que estava no Brasil, trabalhando em um projeto de pesquisa, alguma coisa a ver, acho, com uma ave ameaçada de extinção.

Muita infelicidade entre você e sua distante filha única, menos indulgente ainda com o adultério do que a mãe.

Ela não entende, você disse. Tem vergonha de mim.

(O que fez você pensar que ela não entendia?)

Mas nem uma gota de ressentimento no artigo *in memoriam* da Esposa Dois. Você era a luz e o amor da vida dela, ela escreveu, a melhor coisa que lhe aconteceu. E agora, dizem, ela está escrevendo um livro sobre o casamento de vocês. Uma *novelização.* No qual talvez eu descubra se você contou a ela que, na verdade, nós transamos. Uma vez. Há anos. Bem antes de ela conhecer você.

Você era recém-formado, tinha acabado de começar a lecionar. Não fui a única dos seus alunos a se tornar sua amiga, e foi nessa classe que nós dois conhecemos a Esposa Um. Você era o professor mais jovem, o prodígio, o Romeu do departamento. Pensava que qualquer tentativa de banir o amor da sala de aula era inútil. Um grande professor é um sedutor, você disse, e há momentos em que também deve ser um destruidor de corações. O fato de eu não ter entendido realmente sobre o que você falava não tornou o que disse menos excitante. O que entendi foi que eu ansiava por conhecimento e que você detinha o poder de transmiti-lo a mim.

Nossa amizade continuou após o ano letivo, e naquele verão — na mesma época em que começou a namorar a Esposa Um — nos tornamos inseparáveis. Um dia você me assustou dizendo que devíamos transar. Dada a sua reputação, isso não deveria ser uma surpresa. Mas já havia passado tempo suficiente para que eu não estivesse mais esperando ansiosamente que você me atacasse. Então veio a proposta contundente, e eu não sabia o que pensar. Perguntei, estupidamente, por quê. O que provocou em você uma gargalhada. Porque, você disse, tocando meu cabelo, deveríamos *resolver isso entre nós*. Acho que nunca ocorreu a nenhum de nós que eu pudesse recusar. De todos os meus desejos na época — e você poderia chamar aquele de o momento mais ardente da minha vida — um dos mais fortes era confiar totalmente em alguém; em algum homem.

Mais tarde, fiquei mortificada quando você declarou ter sido um erro a tentativa de sermos mais do que amigos.

Por um tempo, fingi estar doente. Por mais algum tempo, fingi estar fora da cidade. E então realmente fiquei doente, e o culpei, e o amaldiçoei, e não acreditei que você pudesse ser meu amigo.

Mas, quando finalmente nos vimos de novo, em vez do doloroso constrangimento que eu temia, alguma coisa — uma certa tensão, uma distração da qual eu nunca tivera consciência — havia desaparecido.

Isso, claro, era precisamente o que você estava esperando. Então, mesmo quando você havia conquistado por completo a Esposa Um, nossa amizade cresceu. Ela duraria mais que todas as minhas outras amizades. Ela me traria uma felicidade intensa. E me senti com sorte: eu havia sofrido, mas, diferentemente de outras, nunca tive o coração partido. (Você *não teve*?, me provocou certa vez um terapeuta. A Esposa Dois não foi a única que descobriu algo doentio em nosso relacionamento, nem o terapeuta foi o único a querer saber se esse não tinha sido um dos fatores que me fizeram permanecer solteira por todos esses anos.)

Esposa Um. Um amor inegavelmente verdadeiro e apaixonado. Mas não, da sua parte, fiel. Antes de ele acabar, ela teve um colapso. Não é exagero dizer que ela nunca mais foi a mesma. Nem você. Lembro como ficou arrasado quando ela saiu do hospital e imediatamente encontrou outra pessoa.

Quando ela se casou novamente, *você* jurou que nunca faria tal coisa. Seguiu-se uma década de casos, a maioria de curta duração, mas quase todos indistinguíveis do casamento. Não me lembro de nenhum que não tenha terminado em traição.

Não gosto de homens que deixam um rastro de mulheres chorosas, disse W.H. Auden. Ele teria odiado você.

Esposa Três. Lembro-me de você nos ter dito que ela era uma rocha. (*Minha* rocha, você disse.) A mais velha de nove filhos que, quando menina, tinha grandes responsabilidades que lhe foram impostas quando a mãe desenvolveu uma doença incapacitante e o pai se esforçava para manter dois empregos. Sobre o primeiro casamento dela, eu só sabia que o marido havia morrido em um acidente de alpinismo e que tinham um filho: um menino.

Esta é a primeira vez que ela e eu estamos juntas sozinhas. Tendo em vista que eu só sabia que ela era reservada, estou surpresa com o quão falante está hoje, o café expresso soltando a língua dela como se fosse vinho. Ela faz aquela coisa com a cabeça, balançando-a para a frente e para trás enquanto fala, lentamente para a frente e para trás — está tentando me hipnotizar? Parece nervosa, embora a voz seja suave e calma.

Você não foi a primeira pessoa na vida dela a cometer suicídio, diz ela.

"Meu avô atirou em si mesmo. Eu era menina quando aconteceu e não me lembro dele. Mas sua morte foi uma parte muito importante da minha infância. Meus pais nunca falavam sobre o assunto, mas ele sempre estava lá, uma nuvem pairando sobre a casa, a aranha no canto, o monstro embaixo da cama. Ele era meu avô paterno, e me fora ensinado que eu nunca deveria perguntar a meu pai sobre ele. Depois que cresci, finalmente consegui que minha mãe se abrisse um pouco. Ela disse que o suicídio dele foi um choque. Não houve bilhete, e ninguém que o conheceu poderia pensar em uma única razão para o que ele fez. Meu avô nunca mostrara sinais de estar deprimido, muito menos de ser suicida. De alguma forma, o mistério piorou as coisas para meu pai, que por muito tempo continuou insistindo que devia ter sido um crime. Minha mãe disse que ele parecia estar mais zangado com o pai por ele não ter se explicado do que por ter tirado a própria vida. Evidentemente, ele esperava bom senso em um suicida."

Você, por sua vez, sempre sofreu de depressão. E nunca foi pior, ela diz, do que naqueles seis meses do ano passado, quando mal saía da cama pela manhã e não escrevia uma única palavra. O estranho, contudo, era que você tinha superado a crise e pelo menos desde o verão estava de bom humor. Por um lado, ela diz, o longo período de aridez terminou, e, depois de várias tentativas frustradas, você finalmente iniciou algo que o entusiasmou. Sentava-se à sua mesa todas as manhãs e, na maioria dos dias, relatava que a escrita tinha fluído. Estava lendo muito, como sempre fazia quando trabalhava em um romance, e fisicamente ativo outra vez.

Uma das coisas que o deixaram tão deprimido no ano passado, ela explica, foi o fato de ter machucado as costas ao mover algumas caixas e ficar sem se exercitar por semanas. Até mesmo andar era doloroso. E você se lembra do mantra dele, ela diz: Se não posso andar, não posso escrever. Mas esse mau jeito finalmente havia melhorado, e você estava de volta às longas caminhadas e às corridas no parque.

“Ele também estava se socializando, retomando o contato com as pessoas que evitara enquanto estivera deprimido. E você sabe que ele tinha um cachorro?”

De fato, você me mandou um e-mail sobre o cachorro que encontrara uma manhã enquanto corria. De pé sobre uma murada, a silhueta contra o céu: o maior cachorro que já viu. Um dogue alemão arlequim. Sem coleira ou placa de identificação, o que fez você pensar que, embora de raça, ele poderia ter sido abandonado. Fez o possível para encontrar o dono e, quando já tinha tentado de tudo, decidiu ficar com ele. Sua esposa ficou chocada. Para começar, ela não é muito fã de cachorros, você disse, e Dino é cachorro demais. Oitenta e seis centímetros do ombro até a pata. Oitenta e um quilos. Uma foto anexada: vocês dois, as bochechas caídas dele, a cabeça enorme que à primeira vista parecia a de um pônei.

Mais tarde você decidiu mudar o nome Dino. Ele era digno demais para um nome desses, você disse. O que eu achava de Chance? Chauncy? Diego? Watson? Rolfe? Arlo? Alfie? Qualquer um desses nomes soava bem para mim. Mas, no final, você o chamou de Apolo.

A Esposa Três pergunta se eu conhecia um amigo seu que se suicidara poucos meses antes de você.

Não nos conhecíamos, eu digo. Embora você tenha me contado sobre ele.

"Bem, esse pobre homem estava com a saúde péssima. Tinha enfisema, câncer, angina e diabetes — sua qualidade de vida era terrível."

Você, por sua vez, tinha a saúde excelente. O coração e o tônus muscular de um homem muito mais jovem, de acordo com seu médico.

Aqui ela faz uma pausa, um suspiro quase inaudível no momento em que vira a cabeça para a janela, os olhos varrendo a rua como se a resposta que procura estivesse aparecendo, apenas um pouco atrasada.

"O que quero dizer é que ele, embora possa ter tido altos e baixos e não gostasse de envelhecer, assim como qualquer um de nós, realmente parecia estar melhorando."

Como não digo nada — o que eu deveria dizer? —, ela continua: "Acho que foi um erro ele ter parado de lecionar. Não apenas porque era algo que ele amava fazer, mas porque dava à sua vida uma estrutura que eu sei que era positiva para ele. Embora eu também saiba que ele já não era tão feliz como antes. Na verdade, estava sempre reclamando. Lecionar tornou-se uma atividade muito desmoralizante, ele disse, especialmente para um escritor".

Meu celular toca. A mensagem não é urgente, mas vejo as horas com uma onda de ansiedade. Não que eu tenha outro lugar para estar, não fiz nenhum plano para hoje. Mas já se passou meia hora, nossas xícaras estão vazias, e ainda não sei o que estou fazendo aqui. Continuo esperando que ela apresente um assunto em particular, um tema delicado para abordar e que eu acharia ainda mais difícil de discutir porque não faço ideia do que ela pensa nem do quanto sabe. Posso imaginar várias boas razões para você não tê-la informado, por exemplo, sobre as alunas que se queixaram de serem chamadas de "querida".

Achei que as alunas lidaram bem com a situação. Elas enviaram a carta para você, somente para você.

Provavelmente você achou que chamá-las assim era encantador, elas escreveram. Mas na verdade era degradante. Inapropriado. Você precisava parar.

O que você fez, mas não sem demonstrar certo mau humor. Um hábito perfeitamente inofensivo, você já fazia isso havia quantos anos? Desde que começou a lecionar. E, em todo esse tempo, nem um pio de nenhuma aluna. E então todas — cada uma das mulheres da turma (e, como na maioria das aulas de escrita criativa, a maior parte era mulher) — assinaram a carta. É claro que você se sentiu encurralado.

Que coisa insignificante, como eu concordaria com aquilo? E eu não vi quão absurdo e insignificante era o assunto? Se ao menos elas o tivessem resolvido usando o próprio vocabulário!

Uma das raras vezes em que brigamos.

Eu: Só porque nunca disseram nada não significa que não se opusessem.

Você: Bem, se elas não *disseram* nada, elas não se *opuseram*, não é mesmo?

Estupidamente (admito que foi um descuido meu), eu trouxe à baila o famoso poeta que deu o mesmo curso muitos anos antes e que, ao selecionar alunos para a classe, exigiu entrevistar pessoalmente as mulheres, para que pudesse escolhê-las com base na aparência. *E se safou disso.*

Pensei que a sua cabeça fosse explodir. Fazer comparações ofensivas! Como ousei sugerir que você tivesse feito algo assim?

Me desculpe.

Mas o que você fez, ao longo dos anos, foi se envolver em uma série de romances com alunas e ex-alunas.

Você nunca viu nada de errado nisso. (*Se eu achasse que estava errado, eu não o faria.*) E também não havia nenhuma regra contra isso. O que era como deveria ser, você disse. A sala de aula era o lugar mais erótico do mundo. Negar tal fato era pueril. Leia George Steiner. Leia *Lições dos mestres*. Eu li George Steiner, que fora um dos seus professores, reverenciado, amado. Li *Lições dos mestres* e cito: O *erotismo, encoberto ou declarado, fantasiado ou encenado, está entremeado no ensino* [...] *Esse fato elementar foi banalizado por uma fixação no assédio sexual.*

O que ficou não dito: eu era uma hipócrita. Nós dois sabíamos que eu adorava quando você me chamava de querida.

E permito que você ainda recorde: E não foram poucas as vezes em que foi a aluna que o seduziu.

Mas lembro que houve uma aluna, logo no início, uma estrangeira, que recusara suas investidas e depois o acusara de puni-la quando você lhe deu um nove em vez do dez que ela merecia. Acontece que essa aluna em particular tinha o hábito de contestar as notas recebidas, e o comitê que investigou a queixa determinou que o nove era, no mínimo, suspeitamente generoso. E ainda: embora as relações românticas entre professores e alunos não fossem oficialmente proibidas, seu comportamento demonstrava falta de decoro e de bom senso moral e não podia ser tolerado.

Um aviso. O qual você ignorou. E se safou disso.

Demorou anos para você mudar. Quer dizer, amadurecer.

Você tinha acabado de fazer cinquenta anos. Havia engordado quase dez quilos, os quais perderia, mas não por um tempo. Chegou ao bar já embriagado, ficou completamente bêbado e se abriu comigo. Eu só queria que parasse. Odiava quando você falava sobre mulheres. Não era ciúme, não mais, juro que fizera as pazes com esse lado seu havia muito tempo. O que eu odiava era sentir vergonha por você. Você sabia que não havia nada que eu pudesse fazer, mas tinha que me mostrar a ferida de qualquer maneira. Mesmo que isso exigisse que você praticasse um atentado violento ao pudor.

Ela tem dezenove anos e meio — ainda jovem o suficiente para "e meio" significar alguma coisa. Ela não o ama, o que você pode suportar (o que, para ser franca, você até preferia). O que não pode suportar é que ela não o queira. Às vezes ela finge desejo, embora nunca sinceramente. Na maioria das vezes, ela é muito preguiçosa até para fazer isso. A verdade é que ela não se importa com sexo. Não está com você por sexo. O sexo que importa para ela, você sabe perfeitamente, ela encontra em outro lugar.

Já se tornou um padrão: mulheres jovens dispostas a transar com você sem, contudo, compartilhar o desejo que atrai você a elas. O que as motiva é o narcisismo, a emoção de colocar de joelhos um homem mais velho, uma figura de autoridade.

A Dezenove-e-Meio faz você comer na mão dela. Aqui, aqui, deste jeito... não, professor, deste jeito.

Você gostava de dizer (citando alguém, acho) que as mulheres jovens são as pessoas mais poderosas do mundo. Não sei de nada disso, mas todos sabemos a que tipo de poder estava se referindo.

A promiscuidade sempre foi algo natural para você (seu pai, ao que parece, também era assim). E, graças à sua aparência, ao seu dom com as palavras, ao seu sotaque da BBC e ao seu estilo confiante, você não teve dificuldades para atrair as mulheres pelas quais sentiu atração.

A intensidade da sua vida amorosa não foi apenas útil, mas essencial para o seu trabalho, você disse. O fato de Balzac lamentar, depois de uma noite de paixão, que tinha acabado de perder um livro e a insistência de Flaubert de que o orgasmo drenava os desejos criativos de um homem — que colocar o trabalho antes da vida significava o máximo de abstinência sexual que um homem poderia tolerar — para você eram histórias interessantes, mas, no fundo, não passavam de bobagens. Se tais medos fossem fundamentados, os monges seriam as pessoas mais criativas do mundo, você disse. E, afinal, muitos grandes escritores eram também grandes mulherengos, ou pelo menos eram conhecidos por terem fortes impulsos sexuais. Você escreve para duas pessoas, de acordo com Hemingway, você disse. Primeiro para si mesmo e então para a mulher que ama. Você mesmo nunca escreveu melhor do que nos períodos em que estava tendo muito sexo bom, você disse. O início de um caso seu muitas vezes coincidia com um período de produtividade. Foi uma das suas desculpas para trair. Eu estava bloqueado e tinha um prazo, você me disse uma vez. E nem foi meio que de brincadeira.

Todos os problemas que o fato de ser mulherengo trouxe à sua vida valeram a pena, você disse. É claro que você nunca pensou seriamente em mudar.

Essa mudança ter que ocorrer — e sem nenhuma participação sua nisso — era algo com o que você não parecia morrer de preocupação.

Até que um dia, em um banheiro de hotel, você leva um chacoalhão. Um espelho de corpo inteiro posicionado em frente à porta do boxe. Nada *tão* horrível assim para um homem de meia-idade. Mas, sob o brilho das luzes da vaidade, a verdade não é negada.

Esse não é um corpo que excite mulher alguma.

Um poder que foi tirado nunca pode ser devolvido.

Parecia, você disse, uma espécie de castração.

Mas é isso que é envelhecer, então? Castração em *slow motion*. (Estou citando você aqui? Tirei isso de um dos seus livros?)

Conquistar mulheres era uma parte tão importante da sua vida que você dificilmente poderia imaginar viver sem isso. Quem você seria sem isso?

Outra pessoa.

Ninguém.

Não que você estivesse pronto para desistir. Por um lado, sempre houve prostitutas. E levar alunas para a cama estava longe de terminar. Afinal, você já sabia bem que, para as jovens, até um homem de trinta anos está indo ladeira abaixo.

Mas até então você não tinha precisado se contentar com relações sexuais nas quais a outra parte se submetia — se submetia completamente — completamente sem desejo.

Outro espelho: *Desonra*, de J.M. Coetzee. Um dos seus — nossos — livros favoritos, de um dos nossos escritores favoritos.

David Lurie: mesma idade, mesmo emprego, mesmas inclinações. Mesma crise. No começo do romance, ele descreve o que vê como o destino inevitável do homem mais velho: ser o tipo de cliente que provoca arrepios nas prostitutas, *como alguém se arrepia com uma barata dentro da pia no meio da noite.*

No bar, bêbado, e já piegas, você me conta como foi beijar sua garota e como ela se encolheu para se afastar de você. Estou com cãibra no pescoço, ela disse.

Por que não para de vê-la, eu digo — mecanicamente, sabendo muito bem que você é incapaz de se poupar de humilhações ainda piores.

David Lurie está tão chocado com seu estado degradado — não mais atraente sexualmente, embora ainda se contorcendo de luxúria — que se pega fantasiando sobre a castração real, a possibilidade de ela ser realizada por um médico ou até mesmo de fazê-la sozinho, seguindo algum livro. Isso seria realmente mais repugnante do que as atitudes grotescas de um velho safado?

Em vez disso, ele avança sobre uma de suas alunas, um tiro de canhão em direção à desgraça que será sua ruína.

Esse foi um livro que você sentiu na pele.

Mas você teve mais sorte do que o professor Lurie. Você nunca conheceu a desgraça. O embaraço, com frequência.

A vergonha, às vezes. Mas nunca a verdadeira e irremediável desgraça.

A Esposa Um tinha uma teoria. Há dois tipos de mulherengo, ela disse. O tipo que ama as mulheres e o tipo que as odeia. Você era o primeiro, ela disse. Ela acreditava que as mulheres tendiam a ser mais indulgentes, mais compreensivas e até mesmo protetoras com o seu tipo. É menos provável que o injustiçado queira vingança.

Claro, ajuda se o homem é um artista, ela disse, ou tem alguma outra vocação nobre.

Ou se é algum tipo de fora da lei era o meu pensamento. Esse tipo acima de tudo.

Pergunta: O que faz um mulherengo ser de um tipo ou do outro?

Resposta: A mãe dele, claro.

Mas você fez uma previsão: Se eu continuar lecionando, mais cedo ou mais tarde terei problemas.

Eu também temia isso. Você era um dos meus vários amigos "lurianos": homens imprudentes e priápicos arriscando carreiras, meios de subsistência, casamentos — tudo. (Quanto ao *porquê* disso, e sendo as apostas o que são, a única explicação que consegui é: porque é assim que os homens são.)

Quanto de tudo isso a Esposa Três sabe? Quanto ela se importa?

Não tenho ideia nem o desejo de descobrir.

Como se eu tivesse revelado os meus pensamentos, ela diz: "Deixe-me dizer por que queria falar com você". Com essas palavras, por algum motivo, meu coração dispara. "É sobre o cachorro."

"O cachorro?"

“Sim. Queria perguntar se você pode ficar com ele.”

“Ficar com ele?”

“Dar um lar a ele.”

É apenas a última coisa que eu esperava que ela dissesse. Eu me sinto igualmente aliviada e irritada. Não posso fazer isso, digo. Cães não são permitidos no meu prédio.

Ela me lança um olhar duvidoso, depois pergunta se eu já havia contado isso a você.

Não sei, eu digo. Não me lembro.

Depois de uma pausa, ela me pergunta se conheço a história de como você conseguiu o cachorro. Por alguma razão, faço que não com a cabeça. Deixo que ela conte a história que já conheço. Quando você decidiu que queria ficar com o cachorro, você e ela tiveram uma grande briga. Um lindo animal — e como ela poderia não sentir pena do pobrezinho, depois de ter sido abandonado assim? Mas ela não gostava de cães, nunca teve nenhum, e esse cão... ele não é mau, na verdade é um cachorro muito bom, mas ocupa espaço demais. Ela disse que se recusou a compartilhar qualquer responsabilidade por ele — por exemplo, quando você teve que viajar.

“Implorei para ele encontrar alguém para ficar com o cão, e foi assim que o seu nome surgiu.”

“Foi assim?”

“Sim.”

“Mas ele nunca disse nada para mim.”

“É porque ele realmente queria ficar com o cão. E no final ele me venceu pelo cansaço. Mas seu nome surgiu algumas vezes. Ela mora sozinha, não tem companheiro, filhos ou animais de estimação, trabalha na maior parte do tempo em casa e adora animais, foi o que ele disse.”

"Ele disse isso?"

"Eu não inventaria."

"Não, não quis dizer isso... estou apenas surpresa. Como falei, ele nunca me disse nada e nunca nem vi o cão. É verdade, amo animais, mas nunca tive um cachorro. Apenas gatos, sou daquelas pessoas que preferem gatos. De toda forma, não posso levá-lo. Está no meu contrato de aluguel."

"Se assim você diz", um tremor na voz dela. "Bem. Não sei o que fazer." Os ombros dela caem. Ela passou por muita coisa.

Deve haver muitas pessoas que queiram um cão de raça, eu digo.

"Você acha? Talvez se ele fosse um cachorrinho. Mas, você sabe, a maioria das pessoas que quer um cachorro já tem um."

Não tem ninguém da família dela que possa levá-lo, indago. Uma pergunta que parece irritá-la.

"Meu filho e a mulher dele acabaram de ter bebê. Não podem ter um cachorro gigantesco e estranho em casa."

Quanto à enteada: impossível.

"Ela passa muito tempo no campo, nem sequer tem endereço fixo."

"Tenho certeza de que deve haver alguém", eu digo. "Deixe-me perguntar por aí." Mas na verdade não estou esperançosa. Ela está certa: quem quer um cachorro já tem um. E todo mundo em que posso pensar que não tem um cachorro já tem pelo menos um gato. "Você não pode mesmo ficar com ele?", pergunto, sem expressar a minha opinião muito forte de que isso é claramente o que deveria acontecer.

"Eu considerei", diz ela, ao meu entender de forma pouco convincente. "Por um lado, não seria para sempre. O tempo de vida de um dogue alemão é curto, talvez de seis a oito anos, e, de acordo com o veterinário, Apolo já tem uns cinco anos. Mas a verdade é que nunca o quis, e sobretudo não o quero agora. Se acabar ficando com ele, sei que me ressentirei dele. E não quero viver com isso. Ter sempre esse sentimento complicando meus sentimentos já complicados sobre..." Sobre você, ela quer dizer, mas não diz. "Seria demais."

Movimento a cabeça para mostrar que entendo.

"Além disso, planejava me aposentar em breve", diz ela. "E, agora que estou sozinha, acho que gostaria de viajar mais. Não quero ficar amarrada a um cachorro que, em primeiro lugar, eu jamais quis ."

Aceno outra vez com a cabeça. Eu realmente entendo.

Alguém sugeriu que ela entrasse em contato com santuários de cachorros, mas todos os que procurou tinham longas listas de espera. Doía-lhe pensar em como você se sentiria se ela desse seu amado cão para um estranho ou o levasse para um abrigo.

"Mas posso ter que fazer isso. Ele não pode passar o resto da vida em um canil. Entre outras coisas, está me custando uma fortuna."

"Você o colocou em um canil?"

"Eu o coloquei em um canil", diz ela, tensa com o meu tom, "porque não sabia mais o que fazer. Não se pode explicar a morte para um cachorro. Ele não entendia que papai nunca mais voltaria para casa. Esperou na porta dia e noite. Por um tempo ele nem sequer comeu, e eu temia que morresse de fome. Mas a pior parte era que, de vez em quando, ele fazia aquele barulho, aquele uivo ou lamento, ou o que quer que fosse. Não alto, mas estranho, como um fantasma ou alguma outra coisa esquisita. Continuou fazendo isso. Eu tentava distraí-lo com um agrado, mas ele virava a cabeça. Uma vez até rosnou para mim. Ele fazia isso à noite. Eu acordava e não conseguia pegar no sono de novo. Eu ficava lá, ouvindo, até achar que fosse enlouquecer. Toda vez que conseguia me recompor, eu o via esperando perto da porta, ou ele começava a lamentar daquele jeito, e eu desmoronava novamente. Tive que tirá-lo de casa. E, agora que ele se foi, seria cruel trazê-lo de volta. Não consigo imaginá-lo sendo feliz outra vez naquela casa."

Penso na história de Hachiko, o akita que ia à estação de Shibuya, em Tóquio, para esperar o trem que trazia todos os dias seu dono do trabalho para casa — até que o homem morreu de repente, e Hachiko esperou em vão. Mas, no outro dia, e em todos os que se seguiram, por quase dez anos, o cachorro apareceu na estação para encontrar o trem na hora de sempre.

Ninguém poderia explicar a morte a Hachiko. Só poderiam torná-lo uma lenda, erguendo uma estátua em sua homenagem e ainda hoje, quase cem anos depois, cantando louvores a ele.

Hachiko, incrivelmente, não detém o recorde. Fido, cachorro de uma cidade perto de Florença, na Itália, esperou todos os dias, durante *catorze* anos, por seu dono morto (ataque aéreo, Segunda Guerra Mundial) no ponto de ônibus aonde ele chegava do trabalho. E antes de Hachiko houve Greyfriars Bobby, um skye terrier que passou todas as noites dos últimos catorze anos de sua vida no túmulo do dono, que morrera em Edimburgo, na Escócia, em 1858.

É interessante que as pessoas sempre tenham considerado tal comportamento um exemplo de lealdade extrema em vez de estupidez extrema ou algum outro problema mental. Eu mesma duvido de relatos vindos da China de certo cão que se afogou intencionalmente por estar de luto. Histórias como essas são uma das principais razões pelas quais sempre preferi gatos.

"E se você o levasse apenas por um tempo? Já seria uma grande ajuda. O senhorio não pode se opor se o cachorro for uma visita."

Não é apenas por causa do senhorio, explico. Meu apartamento é *minúsculo*. Um cão daquele tamanho não teria espaço nem para se virar.

"Ah, mas ele é um cão de guarda. Precisa de exercício, claro, mas não tanto quanto outras raças. Mesmo sem a guia, ele não vai longe de quem o acompanha. E, você vai ver, ele é muito obediente. Conhece todos os comandos. Não late quando não deveria. Não destrói objetos. Não provoca acidentes. E sabe que não deve subir na cama."

"Tenho certeza de que é tudo verdade, mas..."

"Ele passou por um *check-up* há alguns meses. Está com boa saúde, exceto pela artrite, algo muito comum em cães grandes dessa idade. Nem é necessário dizer que ele tomou todas as vacinas. Ah, eu sei que é pedir muito, mas realmente quero tirar o coitadinho daquele maldito canil! Se eu o levar para casa, juro que ele passará o resto da vida esperando atrás da porta. E ele merece mais do que isso, não acha?"

Sim, eu acho, meu coração se despedaçando.

Não se pode explicar a morte para ele.

E o amor merece mais do que isso.

Parte 2

Na maior parte do tempo, ele me ignora. Poderia muito bem viver sozinho aqui. Faz contato visual às vezes, mas então desvia imediatamente o olhar. Seus grandes olhos castanhos são surpreendentemente humanos; eles me recordam os seus. Lembro-me de uma vez, quando tive que viajar, em que deixei meu gato com um namorado. Ele não gostava muito de gatos, mas depois me falou que foi bom ficar com ele pois, disse, Eu sentia sua falta, e tê-lo por perto era como ter uma parte de você comigo.

Ter seu cachorro por perto é como ter uma parte de você comigo.

A expressão dele não muda. É a expressão que imagino nos olhos de Greyfriars Bobby nos anos em que permaneceu deitado no túmulo do dono. E ainda não o vi abanar o rabo. (O rabo dele não foi cortado, apenas as orelhas —

infelizmente, de maneira desigual, deixando uma menor que a outra. Ele também foi castrado.)

Ele sabe que não deve subir na cama.

Se ele subir nos móveis, disse a Esposa Três, tudo o que você tem que fazer é dizer *Desça*.

Desde que ele veio morar comigo, passa a maior parte do tempo na cama.

No primeiro dia, depois de farejar todo o apartamento — mas de um jeito apático, sem nenhum interesse ou curiosidade real —, subiu na cama e desabou.

O *Desça* morreu na minha garganta.

Esperei até que fosse a hora de dormir. Mais cedo, ele havia comido a ração e se permitido ser levado para passear, mas de novo sem parecer se importar ou notar o que acontecia lá fora. Nem mesmo a visão de outro cachorro o animava. (Ele, por sua vez, nunca deixa de chamar atenção. Vai demorar para se acostumar com isso, com a sensação de ser um espetáculo, com as fotografias constantes, com as interrupções frequentes: Quanto ele pesa? Quanto ele come? Você já tentou montar nele?)

Ele anda de cabeça baixa, como um animal de carga.

De volta para casa, foi direto para o quarto e se jogou na cama.

O esgotamento do luto foi o meu pensamento — pois estou convencida de que ele compreendeu isso. É mais esperto do que os outros cachorros. Sabe que você se foi para sempre. Sabe que nunca mais voltará para a casa estilo Brownstone.

Às vezes, deita-se esticado de frente para a parede.

Após uma semana, sinto-me mais como a carcereira do que como a cuidadora dele.

Na primeira noite, ao ouvir o nome dele, ergueu a cabeça quadrada, girou-a sobre o ombro e me olhou de lado. Quando me aproximei da cama, com a intenção de desalojá-lo, claro, ele fez o impensável: rosnou.

As pessoas expressaram espanto com o fato de eu não sentir medo. Não penso que ele possa fazer mais do que rosnar em uma próxima vez.

Não. Nunca pensei isso mesmo.

Mas pensei que um cachorro daquele tamanho na minha cama poderia fazer o estrago de um elefante em uma loja de cristais.

Não era bem verdade o que eu dissera à Esposa Três sobre nunca ter tido um cachorro. Mais de uma vez dividi a casa com uma pessoa que tinha um. Em uma ocasião, o cão era uma mistura de dogue alemão com pastor-alemão. Então eu estava um pouco familiarizada com cães, com cachorros grandes e com essa raça em particular. Estava ciente, claro, da paixão que a raça tem por nós, mesmo que eles não sejam tão apaixonados quanto Hachiko e sua raça. Alguém ignora que o cão é o epítome da devoção? Mas foi essa devoção a humanos, tão instintiva que é oferecida gratuitamente até a pessoas indignas dela, que me fez preferir gatos. Quero um animal de estimação que possa se virar bem sem mim.

Era inteiramente verdade o que eu disse à Esposa Três sobre o tamanho do meu apartamento: cinquenta metros quadrados. Dois quartos quase iguais, uma cozinha compacta, um banheiro tão estreito que Apolo entra e sai dele como se estivesse em uma baia. No armário do quarto, guardo um colchão de ar que comprei há anos, quando minha irmã veio me visitar.

Acordo no meio da noite. As persianas estão abertas, a lua alta, e, à claridade intensa, posso distinguir seus grandes olhos brilhantes e o focinho de ameixa-preta suculenta. Eu me deito de barriga para cima, sob a névoa pungente da respiração dele. O que parece ser um longo tempo passa logo. A cada dois segundos, uma gota de saliva pinga de sua língua e espirra no meu rosto. Finalmente, ele coloca uma das enormes patas, do tamanho do punho de um homem, no centro do meu peito e a deixa descansar ali: um peso e tanto (pense na aldraba da porta de um castelo).

Não falo, não me movo nem estendo a mão para acariciá-lo. Ele deve sentir meu coração batendo. Tenho o terrível pensamento de que ele poderia decidir soltar todo o peso em cima de mim, lembrando a notícia a respeito de um camelo que matou seu dono mordendo-o, chutando-o e sentando-se nele, e como a equipe de resgate teve que usar uma corda amarrada a uma picape para retirar o animal.

Por fim, ele ergue a pata. Em seguida, o focinho, que antes pressionava a curva do meu pescoço. Isso me provoca cócegas insanas, mas me controlo. Ele fareja toda a minha cabeça, todo o meu pescoço e todo o contorno do meu corpo, às vezes me cutucando com força, como se para chegar a algo sob mim. Por fim, com um espirro violento, ele volta a se deitar, e nós dois dormimos.

Acontece todas as noites: por alguns minutos, eu me torno um objeto de intensa fascinação. Mas durante o dia ele está em seu próprio mundo, e na maior parte do tempo me ignora. Do que se trata tudo isso, afinal? Lembro-me de uma gata que tive que nunca me deixava acariciá-la ou segurá-la no colo; mas à noite, assim que eu pegava no sono, ela se empoleirava no meu quadril e ali dormia.

Também é verdade: a proibição de cães no meu prédio. Lembro que quando assinei o contrato de aluguel não pensava em nada disso. Eu estava me mudando com dois gatos; a última coisa que passava na minha cabeça era ter um filhote de cachorro. O senhorio mora na Flórida; não o conheço. O zelador vive no prédio ao lado, que pertence ao mesmo senhorio. Hector nasceu no México. E ele estava lá, para o casamento do irmão, quando eu trouxe Apolo. No mesmo dia em que voltou, ele nos encontrou ao sairmos para passear. Corri para explicar: o dono morrera de repente, não havia mais ninguém além de mim para cuidar do cachorro, que ficaria temporariamente. Uma explicação que me pareceu muito mais plausível do que eu procurar um meio de arriscar perder um apartamento alugado em Manhattan que, por mais de trinta anos, mesmo nos tempos em que morei fora da cidade — por causa de um trabalho como professora —, eu havia tomado tanto cuidado para manter.

Você não pode ficar com esse animal aqui, Hector disse. Nem mesmo temporariamente.

Um amigo me contou sobre a lei: Se um inquilino fica com um cachorro em um apartamento por um período de três meses, durante o qual o senhorio não toma providências para despejar o inquilino, então o inquilino pode ficar com o cachorro e não corre o risco de ser despejado por esse motivo. Isso soou duvidoso para mim. Mas é, de fato, a lei sobre cães em apartamentos na cidade de Nova York.

Condição: a presença do cão deve ser do conhecimento de todos, e não escondida.

É desnecessário dizer que não havia a possibilidade de manter um cachorro como esse escondido. Eu o levo para passear várias vezes ao dia. Ele se tornou a sensação da vizinhança. Até agora, nenhum morador do prédio se queixou da presença dele, embora não tenham sido poucos os que se assustaram ao vê-lo pela primeira vez, alguns até se afastando timidamente, e, depois que uma mulher se recusou a entrar no pequeno elevador conosco, decidi que sempre deveríamos usar as escadas. (Ao mover-se desajeitadamente nos cinco lances de escada, ele é uma visão cômica, a única hora em que parece deselegante.)

Se ele fosse um latidor, decerto as reclamações seriam inúmeras. Mas é notavelmente — perturbadoramente — quieto. No início, fiquei preocupada com o uivo que a Esposa Três relatou, mas ainda não o ouvi. Eu me pergunto se essa ausência se deve a uma conexão entre uivar e ser banido para o canil. Isso pode ser um exagero, mas o fato de ele não uivar mais é uma das razões pelas quais acredito que ele perdeu a esperança de reencontrar você.

Você não pode ficar com esse animal aqui. (Sempre *esse animal*; às vezes me pergunto se ele sabe que se trata de um cachorro.) Tenho que reportar a presença dele.

Eu não achava que a Esposa Três estivesse mentindo quando me disse que Apolo fora treinado para não subir na cama. Ela presumiu que ele fosse se adaptar a uma mudança completa em seu ambiente sem que ele próprio mudasse. Não fiquei nada surpresa quando isso se provou um erro.

Conheci um gato cujo dono teve que desistir dele quando o filho se tornou alérgico à descamação da sua pele.

Ele foi de casa em casa (a minha foi uma delas) enquanto um lar permanente era procurado. Sobreviveu bem a duas ou três mudanças, porém, quando mais uma se deu, ele já não era mais a mesma criatura. Tornou-se um transtorno — um transtorno com o qual ninguém estava disposto a lidar — e então o dono original o sacrificou.

Eles não cometem suicídio. Não choram. Mas podem cair — e caem — em pedaços. Eles podem ter — e têm — o coração partido. Eles podem ficar — e ficam — malucos.

Certa noite, cheguei em casa e encontrei minha cadeira de escritório caída de lado e a maior parte do que estava na escrivaninha totalmente espalhada. Ele tinha mastigado uma pilha inteira de papéis. (Eu, honestamente, seria capaz de dizer aos meus alunos: O cachorro comeu o dever de casa de vocês.) Saí para beber depois da aula com outro professor e nos demoramos. Fiquei fora por cerca de cinco horas, o período mais longo que já o deixara sozinho. As entranhas esponjosas de uma almofada se espalham pelo chão. A gorda brochura do livro de Knausgård que eu deixara sobre a mesa de centro está em frangalhos.

Tudo o que precisa fazer é entrar em contato com grupos on-line de dogue alemão, as pessoas me dizem, e você encontrará alguém para ficar com ele. Mas, se for expulsa do prédio, não encontrará outro apartamento que possa pagar, não nesta cidade. E você pode ter dificuldade de encontrar um lugar em qualquer cidade com esse colega de quarto.

Continuo tendo fantasias que parecem episódios de *Lassie* ou *Rin-Tin-Tin*. Apolo cerca ladrões durante uma tentativa de arrombamento. Apolo enfrenta chamas para resgatar moradores. Apolo salva a filha do zelador de um possível molestador.

Quando você vai se livrar desse animal? Ele não pode ficar aqui. Tenho que reportar a presença dele.

Hector não é uma pessoa má, mas sua paciência é limitada. E ele nem precisa dizer isto: pode perder o emprego.

O amigo que é mais compreensivo com a minha situação me garante que pode levar algum tempo para um senhorio de Nova York despejar um inquilino. Você não seria colocada na rua de um dia para o outro, ele diz.

Há um tipo de pessoa que, tendo lido até aqui, está se perguntando ansiosamente: Algo ruim acontece ao cachorro?

Uma pesquisa na internet revela que o dogue alemão é conhecido como o Apolo dos cães. Não tenho certeza se foi por isso que você escolheu esse nome ou se foi só uma coincidência, mas em algum momento você provavelmente soube disso, provavelmente da mesma maneira que eu soube. Também aprendi que o nome Apolo não é uma escolha incomum para um cachorro ou outro animal de estimação.

Outros fatos: O surgimento preciso da raça é desconhecido. Acredita-se que o parentesco mais próximo seja com o mastim alemão — na Alemanha, país com o qual a raça está mais associada, o dogue alemão se chama *Deutsche Dogge*. E, apesar de ser conhecido como cão dinamarquês no mundo anglo-saxônico, essa nacionalidade, ao que parece, foi usada erroneamente por um desinformado naturalista francês do século XVIII chamado Buffon.

Otto von Bismarck adorava o *Dogge*; o Barão Vermelho Von Richthofen levava um no seu avião de dois lugares. Foi criado primeiramente para caçar javalis, depois para ser cão de guarda. E, embora possa chegar a mais de noventa quilos e dois metros de altura em pé sobre as patas traseiras, ainda é conhecido não por sua ferocidade ou agressão, mas por sua doçura, calma e vulnerabilidade emocional. (Outro epíteto mais acolhedor é "gigante gentil".)

O Apolo de todos os cães. Designado a partir daquele que é conhecido como o mais grego de todos os deuses.

Gosto do nome. Mas, mesmo que o odiasse, eu não o mudaria. Mesmo que eu saiba que, quando digo Apolo e ele reage — *se* ele reage —, é mais provável que seja à minha voz e ao tom dela, e não à palavra em si.

Às vezes me pergunto, ridiculamente, qual é o nome "real" dele. Na verdade, pode ter tido vários nomes. E o que, afinal, há de relevante no nome de um cachorro? Se não damos um nome a um animal de estimação, isso não faz diferença para ele, mas, para nós, cria uma lacuna. Ela não tem nome, alguém fala de uma vira-lata adotada, nós a chamamos de Kitty. Um nome, por tudo isso.

Eu gosto disso, bem antes de T.S. Eliot se expressar sobre o assunto, Samuel Butler afirmou que o mais duro teste de imaginação era dar nome a um gato.

E o seu pensamento que o levou a gargalhadas: Não seria mais fácil se apenas chamássemos todos os gatos de Senha?

o⊂⊃o

Conheço pessoas que se opõem fortemente a dar nomes a animais de estimação. São do mesmo tipo das que não gostam da ideia de chamar um animal de *animal de estimação*. De *tutor* elas também não gostam; *dono* faz com que elas fiquem enfurecidas. O que irrita essas pessoas é a noção de domínio: o domínio sobre os animais que a humanidade reivindicou como sendo um direito dado por Deus desde Adão e que, aos olhos delas, sempre representou nada menos que escravidão.

Quando eu disse que preferia gatos a cachorros, não tinha a intenção de declarar que gostava mais de gatos. Gosto igualmente das duas espécies. Mas, além de a devoção canina me deixar desconfortável, eu, como muitas outras pessoas, me recuso a aceitar a ideia de dominar um animal. E não há como negar o fato de que, mesmo que você ache ridículo chamar os donos de cães de senhores de escravos, os cachorros, como outros animais domesticados, foram criados para serem dominados pelas pessoas, para serem usados pelas pessoas, para fazerem o que as pessoas querem.

Mas os gatos, não.

Todos sabem que a primeira coisa que Adão fez com os animais que o Senhor concebeu a partir da terra recém-criada — o primeiro sinal de seu domínio sobre eles — foi dar um nome a cada um. E, até Adão lhes atribuir seus respectivos nomes, dizem alguns, os animais não existiam.

Há uma história de Ursula K. Le Guin em que uma mulher sem nome, mas que é inconfundivelmente a parceira de Adão, Eva, se compromete a desfazer o feito de Adão: ela convence todos os animais a dispensarem os nomes que receberam. (Em primeiro lugar, os gatos afirmam nunca ter aceitado os nomes.) Depois que todos renunciam aos nomes, ela passa a sentir a diferença: a queda de um muro, a aproximação de uma distância que havia existido entre os animais e ela mesma, um novo senso de unidade e igualdade entre eles. Sem nomes para separá-los, não mais diferenciando caçador de caça, comedor de comida. O inevitável passo seguinte é que Eva devolva a Adão o nome que ele e o pai dele lhe deram, abandonar Adão e se juntar a todos os outros que, ao aceitarem a ausência de nome, libertaram-se da dominação. Apenas para Eva, porém, o ato implica outra renúncia, a da linguagem que ela compartilhava com Adão. Mas uma das principais razões para ela fazer o que fez foi que a conversa, ela diz, não os levava a nenhum lugar.

Ele deve ter recebido treinamento de obediência logo cedo, a Esposa Três disse que o veterinário falou. A julgar pelo comportamento dele, foi socializado para conviver tanto com pessoas como com outros cães. Não havia sinais de abuso grave. Em contrapartida, as orelhas: foram confiadas a um açougueiro, que não só as deixara desiguais como também cortara demais cada uma delas. Aquelas pequenas orelhas pontudas na cabeça enorme o faziam parecer menos régio, e também mais malvado, e eram apenas uma das diversas coisas que o teriam desqualificado para ser um cão de exposição.

Quem poderia dizer como ele chegou ao parque limpo, bem alimentado, sem coleira ou placas de identificação? Um cachorro assim não teria fugido do dono a menos que algo muito incomum tivesse acontecido, disse o veterinário. No entanto, não apenas ninguém o procurou como ninguém nunca relatou tê-lo visto antes. Significa que ele pode ter vindo de algum lugar distante. Roubado? Talvez. O fato de que parecia não haver registro de sua existência não surpreendeu o veterinário. Havia muitos cães cujos donos nunca se deram ao trabalho de registrá-los ou, no caso dos de raça, de emitir o *pedigree*.

Talvez o dono tivesse perdido o emprego e não pudesse mais arcar com as despesas de alimentação e veterinário. É difícil acreditar que alguém que tomara conta do cão desde filhote se livraria dele para cuidar de si próprio. Mas: Acontece com mais frequência do que você imagina, disse o veterinário. Ou digamos que ele realmente tenha sido roubado, e o dono, ao saber que foi encontrado, pensou melhor. A vida era mais fácil sem ele, que outra pessoa cuide dele agora! Mais uma vez, o veterinário já tinha visto isso antes. (Assim como eu: Há alguns anos, minha irmã e o marido compraram uma casa no campo. Os vendedores, que estavam de mudança para a Flórida, tinham um velho vira-lata. Ele era parte da família desde filhote, assim eles o apresentaram. Quando minha irmã e o marido se mudaram, foram recebidos pelo cachorro, abandonado, sozinho na casa vazia.)

Talvez o dono de Apolo tenha morrido, e quem ficou responsável por ele o expulsou.

É muito provável que nunca saibamos de onde ele veio. Mas foi o que você disse. O momento em que você olhou para cima e o viu, majestoso contra o céu de verão — aquele momento foi tão emocionante e tão misterioso que você quase poderia acreditar que ele havia aparecido ali por mágica. Evocado por uma bruxa, como um dos cães gigantes do conto de Andersen.

Parte 3

Em vez de escrever sobre o que já sabe, você nos disse, escreva sobre o que *vê*. Suponha que você saiba muito pouco e que nunca saberá muito até que aprenda a ver. Mantenha um caderninho para registrar as coisas que vê, por exemplo, quando está na rua.

Parei de manter qualquer tipo de caderninho ou diário há muito tempo. Hoje, o que mais noto quando saio são pessoas sem teto, ou que parecem tão necessitadas que imagino que estejam desabrigadas. Não é incomum agora vê-las com um celular, no entanto. E, a menos que eu esteja enganada, cada vez mais elas têm animais de estimação.

Na Broadway, no Astor Place, vejo um cachorro sozinho cercado dos pertences de alguém: uma mochila cheia, livros, uma garrafa térmica, roupas de cama, um *despertador* e alguns potes de isopor. É a ausência humana que torna a cena tão insuportavelmente dolorosa.

Vejo um bêbado que urinou na calça estendido na porta de um edifício. Eu Sou o Arquiteto do Meu Destino, diz a camiseta dele. Nas proximidades, um mendigo com uma placa escrita à mão: Eu fui alguém.

Em uma livraria: um homem vai de pilha de livros a pilha de livros, colocando a mão em um exemplar, depois em outro, sem examinar nenhum deles. Eu o acompanho por um tempo, curiosa para ver qual livro tal método lhe dirá para comprar. Mas ele deixa a loja de mãos abanando.

Eis algo que não vi, mas que teria visto se tivesse contornado a esquina minutos antes: uma pessoa se jogar da janela de um prédio comercial. Quando cheguei ao local, o corpo estava coberto. Tudo o que consegui descobrir mais tarde foi que se tratava de uma mulher de quase cinquenta anos. Pouco antes do meio-dia, em um belo dia de outono, em um quarteirão lotado de gente. Como ela calculou o momento de pular, eu me pergunto, para não atingir ninguém? Ou ela apenas teve... todos nós apenas tivemos... sorte.

Um grafite no Philosophy Hall: A vida com reflexão também não merece ser vivida.

Uma cerimônia de premiação literária em um clube privado no Upper East Side. Saio do metrô na Quinta Avenida. O clube fica a seis quarteirões de distância. Vejo duas pessoas que também acabam de deixar o metrô: uma mulher que parece estar na casa dos sessenta acompanhada de um homem com cerca de metade da idade dela. Poderiam estar se dirigindo a qualquer um dos milhões de lugares que existem na vizinhança, mas me ocorre que eles estão indo para onde eu estou indo. O que acaba por se confirmar. Mas o que há de característico neles? Não sei dizer. É um enigma para mim o fato de as pessoas do mundo literário serem tão fáceis de identificar. Como na vez em que passei por três homens em um restaurante em Chelsea e soube que eram da área antes mesmo de ouvi-los dizer: Essa é a melhor parte de escrever para a *New Yorker.*

Na caixa de correio, um exemplar adiantado com uma carta do editor: Espero que você ache este romance de estreia tão enganosamente profundo quanto eu.

Apontamentos de aula.

Todos os escritores são monstros. Henry de Montherlant.

Os escritores estão sempre vendendo alguém. [Escrever] é um ato agressivo, até mesmo hostil... a tática de um valentão secreto. Joan Didion.

Todo jornalista... sabe... que o que ele faz é moralmente indefensável. Janet Malcolm.

Qualquer escritor que se preze sabe que apenas uma pequena parte da literatura faz mais do que parcialmente compensar as pessoas pelos danos que sofreram ao aprender a ler. Rebecca West.

Parece não haver remédio para o vício na literatura; os aflitos persistem no hábito, apesar do fato de que não há mais nenhum prazer que se deriva dele. W.G. Sebald.

Sempre que ele via seus livros em uma livraria, sentia-se como se tivesse se livrado de alguma coisa, disse John Updike.

Que também expressou a opinião de que uma boa pessoa não se torna escritora.

O problema da insegurança.

O problema da vergonha.

O problema da autoaversão.

Certa vez você disse o seguinte: Quando fico tão farto de um texto que estou escrevendo que decido desistir dele e depois, mais tarde, me vejo irresistivelmente atraído de novo para ele, sempre penso: *Tal como um cachorro para o próprio vômito.*

Se alguém me pergunta a matéria que ensino, diz um dos meus colegas, por que nunca posso dizer "escrita criativa" sem me sentir envergonhado?

Horário de orientação aos alunos. O jovem se refere a determinado fato sobre a vida dele e diz: Mas você já sabia disso. Não, eu digo, não sabia. Ele parece irritado. Como assim? Você não leu a minha história? Explico que nunca assumo, automaticamente, que uma obra de ficção é autobiográfica. Quando pergunto por que achava que eu deveria saber que ele escrevia sobre si mesmo, ele parece intrigado e responde: Sobre quem mais eu escreveria?

Uma amiga que está trabalhando em um livro de memórias diz: Odeio a ideia de escrever como uma espécie de catarse, porque parece que isso não pode gerar um bom livro.

Você não pode esperar consolar-se da sua dor com a escrita, adverte Natalia Ginzburg.

Então busque ajuda com Isak Dinesen, que acreditava que qualquer tristeza poderia se tornar suportável se ela fosse inserida em uma história ou se a respeito dela fosse contada uma história.

Suponho que fiz por mim mesma o que os psicanalistas fazem por seus pacientes. Expressei uma emoção sentida por muito tempo e de maneira muito profunda. E, ao expressá-la, expliquei-a e então a deixei em suspenso. Woolf está se referindo a escrever sobre a mãe, pensamentos que a obcecaram entre os treze (a idade que tinha quando a mãe morreu) e os quarenta e quatro anos, quando, *em uma grande e aparentemente involuntária pressa*, escreveu *Ao farol*. Depois disso, a obsessão cessou: *Não ouço mais a voz dela; não a vejo mais.*

Pergunta: A eficácia da catarse depende da *qualidade* da escrita? E, se uma pessoa tem uma experiência catártica ao escrever um livro, importa se a obra tem ou não qualidade?

Minha amiga também está escrevendo sobre a mãe dela.

Os escritores adoram citar Milosz: *Quando nasce um escritor em uma família, a família está acabada.*

Depois que incluí minha mãe em um romance, ela não me perdoou.

Em vez de, digamos, Toni Morrison, que disse que basear um personagem em uma pessoa real é uma violação de direitos autorais. As pessoas são donas da própria vida, ela diz. E a vida não é para ser usada em uma obra de ficção por outrem.

Em um livro que estou lendo, o autor fala sobre pessoas de palavra *versus* pessoas de punho. Como se as palavras não pudessem também ser punhos. Como se não fossem punhos muitas vezes.

Um tema significativo na obra de Christa Wolf é o medo de que escrever sobre alguém seja uma forma de matar essa pessoa. Transformar a vida de alguém em uma história é como tornar a pessoa uma estátua de sal. Em um romance autobiográfico, descreve um sonho infantil recorrente no qual ela mata a mãe e o pai ao escrever sobre eles. A vergonha de ser escritora a assombrou por toda a vida.

Eu me pergunto quantos psicanalistas de fato fazem para seus pacientes o que Woolf fez por si mesma. Aposto que não muitos.

Eles podem desacreditar as ideias de Freud quanto quiserem, você disse. Mas ninguém pode dizer que o homem não era um grande escritor.

Freud era mesmo uma pessoa real?, certa vez ouvi um aluno perguntar.

Foi um psicanalista, claro, que criou o termo *bloqueio de escritor*. Edmund Bergler era, assim como Freud, um judeu austríaco e foi um seguidor da teoria freudiana. Segundo a Wikipédia, ele acreditava que o masoquismo era a causa de todas as outras neuroses humanas, que a única coisa pior do que a desumanidade do homem para com o homem era a desumanidade do homem para consigo mesmo.

(Mas uma escritora o tem em dose dupla, disse Edna O'Brien: o masoquismo da mulher *e* o do artista.)

O convite era para ministrar uma oficina de escrita criativa em um centro de tratamento para vítimas de tráfico humano. Quem me chamou foi uma conhecida, ou melhor, alguém que conheci no passado: fomos amigas na faculdade. Naquela época, ela também queria ser escritora. Em vez disso, tornou-se psicóloga. Nos últimos dez anos, atuava nesse centro de tratamento em um grande hospital psiquiátrico localizado a uma curta distância de ônibus de Manhattan. As mulheres com quem ela trabalhava reagiram bem à arteterapia (mais tarde, eu veria alguns desenhos delas e os acharia extremamente perturbadores). Ela acreditava que escrever poderia ser ainda mais útil, uma vez que parecia ter sido bastante proveitoso para outras vítimas de trauma, como veteranos de guerra com transtorno de estresse pós-traumático.

Eu queria fazer isso. Como serviço comunitário, como favor a uma velha amiga e como escritora.

Pensei na jovem barrocamente perfurada e tatuada que conheci alguns meses antes, em uma oficina que ministrei em um evento para escritores. Era uma oficina de ficção, embora o que ela estivesse escrevendo se aproximasse mais de memórias — ou autoficção, se preferir —, a história de Larette, uma garota vítima de tráfico sexual, narrada em primeira pessoa.

Sua escrita era boa por três motivos principais: falta de sentimentalismo, falta de autopiedade e senso de humor. (Se o último parece improvável, tente pensar em um bom livro, não importa quão pesado seja seu tema, que não inclua algo cômico. É o fato de uma pessoa ter senso de humor que nos faz sentir que podemos confiar nela, diz Milan Kundera.) Uma daquelas histórias de vida que precisavam ser *atenuadas* para evitar o convencimento forçado. (Os leitores ficariam surpresos com a frequência com que os escritores fazem isso.) Ela passou dois anos em uma casa de recuperação lutando contra o vício em drogas, a vergonha e a tentação de voltar para o cafetão, cujo nome foi tatuado em três lugares diferentes do seu corpo. Mais tarde, matriculou-se em uma faculdade comunitária, onde fez pela primeira vez um curso de escrita criativa.

Como muitas pessoas que conheci, ela acredita que escrever salvou sua vida.

Você sempre foi cético quanto a escrever em busca de autoajuda. Você gostava de citar Flannery O'Connor: Somente aqueles que possuem um dom devem escrever para o consumo público.

Mas como é raro encontrar uma pessoa que pensa que aquilo que escreve deve permanecer privado. E como é comum encontrar alguém que pensa que aquilo que escreve lhe autoriza não só o consumo público, mas ficar famoso.

Você achava que as pessoas estavam no caminho errado. Achava que o que elas estavam procurando — autoexpressão, senso de comunidade, conexão — seria mais fácil de encontrar em outro lugar. Em grupos de canto e dança. Em grupos de trabalhos manuais. Aos quais as pessoas teriam recorrido no passado, você disse. Escrever era muito difícil! Não foi por acaso que Henry James disse que qualquer um que quisesse ser escritor deveria escrever em seu estandarte a palavra *solidão*. Frustração e humilhação, Philip Roth disse que era o ato de escrever. Ele o comparou ao beisebol: *Você falha dois terços do tempo*.

Essa era a realidade, você disse. Mas, na nossa era grafomaníaca, a realidade se perdeu. Agora todo mundo escreve, do mesmo jeito que todo mundo vai ao banheiro, e, ao ouvir a palavra *dom*, muitos querem sacar uma arma. A ascensão da autopublicação foi uma catástrofe, você disse. Foi a morte da literatura. O que queria dizer a morte da cultura. E Garrison Keillor estava certo, você disse: Quando todo mundo é escritor, ninguém o é. (Se bem que, na verdade, esse era exatamente o tipo de afirmação que você nos alertava para não usar: *parece* boa, mas, se apertá-la, ela desmorona.)

Nada disso era tão novo quanto parecia.

Escrever e publicar é *cada vez menos algo especial. Por que não eu, também?, todos se perguntam.*

Foi o que escreveu o crítico literário francês Sainte-Beuve. Em 1839.

Não que você tenha me desencorajado a ensinar no centro de vítimas de tráfico. Imagino que seja bastante deprimente, você disse, mas não será desinteressante.

Na verdade, foi ideia sua que eu escrevesse sobre isso.

As mulheres do centro foram encorajadas a escrever todos os dias. Ou, como disse minha amiga psicóloga, a ter um diário. Os diários deveriam ser confidenciais, ela disse. Algumas das mulheres ficaram alarmadas com a possibilidade de que alguém pudesse ler o que haviam escrito, e ela precisou garantir que isso não aconteceria. Elas podiam escrever o que quisessem, com liberdade plena, sabendo que ninguém mais leria. Nem mesmo ela leria.

Sugeriu que aquelas para quem o inglês era a segunda língua escrevessem na língua materna.

Algumas mulheres tinham o cuidado de esconder o diário quando não o usavam. Outras o carregavam sempre com elas. Mas algumas poucas insistiram em destruir o que quer que tivessem escrito imediatamente ou então mais tarde. E tudo bem também, ela lhes disse.

As mulheres foram convidadas a escrever todos os dias por pelo menos quinze minutos, rapidamente, sem parar para ponderar por muito tempo ou se deixar distrair.

Escreviam à mão, em cadernos fornecidos pelo centro (minha amiga acredita em estudos que mostram que escrever à mão é melhor para a concentração e que uma página pautada é mais acolhedora para receber intimidades e segredos do que uma tela em branco).

Claro, houve as que se recusaram a escrever.

As mesmas que ficam com raiva de mim porque espero que elas revisitem as más experiências, ela disse. Você tem que entender o que essas mulheres passaram. Para a maioria, o abuso não começou com o tráfico. (*Devo ter experimentado violência desde o nascimento.*) Algumas foram deliberadamente colocadas em perigo — em certos casos, até, vendidas de fato — por membros da própria família. E só porque não estão mais sendo abusadas, não significa que não estejam mais sofrendo. Em algum momento, sempre pergunto a elas o que seria a melhor coisa que poderia lhes acontecer e não consigo mensurar quantas respondem: Acho que a melhor coisa para mim seria morrer.

Mas havia um grupo de mulheres que ficava feliz em fazer os registros diários, muitas vezes escrevendo por bem mais do que quinze minutos por dia. Minha amiga queria dar a elas a chance de participar de uma oficina, um lugar seguro onde poderiam não apenas escrever, mas também compartilhar seus textos umas com as outras e com uma professora. Entre as que se inscreveram, ela disse, eu poderia contar com certo nível de inglês, embora nem todas fossem falantes nativas. Até mesmo as falantes nativas, contudo, expressaram preocupações com a capacidade de escrever e estavam particularmente temerosas com ortografia e gramática. Ela havia dito às mulheres que, assim como faziam nos seus diários, elas não deveriam prestar atenção em ortografia e gramática.

Então, é importante que você ignore esses erros, ela me disse. Sei que não será fácil para você, mas essas mulheres já têm problemas suficientes com a autoestima, e não queremos inibi-las.

Pensei em um poema de Adrienne Rich que inclui versos escritos por um aluno que entrou no City College de Nova York graças ao programa que permite o ingresso em faculdades sem vestibular. *As pessoas sofrem muito na pobreza... Alguns dos* sofreres *são*:

Minha amiga me mostrou exemplos dos trabalhos artísticos que as mulheres haviam feito: corpos sem cabeça, casas em chamas, homens com a boca de animais ferozes, crianças nuas apunhaladas nos genitais ou no coração.

Ela me fez ouvir fitas com os depoimentos de algumas delas, e os desenhos ganharam vida.

Continuo chamando-as de mulheres, ela disse. Mas vemos muitas que ainda são garotas. E alguns dos casos mais trágicos ocorreram com elas. Temos uma garota de catorze anos resgatada no mês passado de uma casa onde foi mantida no porão acorrentada a um catre. Quando o abuso sexual inclui cativeiro, como nesse caso, o dano é mais grave. No momento, essa garota é incapaz de falar. Não há nada de errado com seu aparelho fonador — ao menos, não que os médicos consigam descobrir —, mas ela insiste em permanecer muda. Vemos esse tipo de sintoma psicossomático de tempos em tempos: mudez, cegueira, paralisia.

Minha amiga queria que eu assistisse a um filme sueco chamado *Para sempre Lilya*. Na verdade, eu já o tinha visto, anos antes, quando foi lançado. Na época, eu não sabia que era baseado em uma história real. Eu não sabia muito sobre ele; tinha decidido vê-lo no calor do momento, porque gostei de um filme anterior do mesmo diretor e porque estava sendo exibido perto de mim. É muito possível que, se eu soubesse o que esperar, talvez nunca tivesse ido ver *Para sempre Lilya*. E a experiência foi inesquecível: mais de uma década depois, não havia necessidade de vê-lo novamente.

Lilya é uma garota de dezesseis anos que mora com a mãe em um sombrio conjunto habitacional em algum lugar da antiga União Soviética. Acredita que ela, a mãe e o namorado da mãe estão prestes a emigrar para os Estados Unidos, mas, quando chega a hora, Lilya é deixada para trás. Então uma tia sem coração toma conta do apartamento onde Lilya morava, forçando-a a mudar-se para o que não passa de um buraco imundo. Abandonada, sem dinheiro, Lilya entra no mundo da prostituição.

Das pessoas ao seu redor, Lilya aprendeu a esperar somente crueldade e traição. A exceção é Volodya, um menino alguns anos mais novo que Lilya que é abusado pelo pai alcoólatra. Volodya ama Lilya, que faz amizade com ele e o abriga depois que o pai o expulsa de casa. Juntos, os dois jovens abandonados compartilham alguns momentos felizes. Mas, na maior parte, a vida de Lilya é sombria.

A esperança surge na forma de um jovem sueco bonito e de voz suave chamado Andrei. Ele diz a Lilya, a qual logo se apaixona por ele, que com sua ajuda ela pode se mudar para a Suécia e começar uma vida nova. Ela aproveita a oportunidade, apesar do que isso significará para Volodya, que responde à partida da única amiga com o suicídio.

Volodya continua a aparecer no filme como um anjo.

Lilya chega sozinha à Suécia (Andrei prometeu se juntar a ela mais tarde) e é recebida no aeroporto pelo homem que, assim lhe disseram, seria seu protetor. O homem a leva para seu novo lar, um apartamento em um prédio bem alto, e a tranca lá dentro. Rapunzel, Rapunzel. Ele é o primeiro a estuprá-la. A vida nova de Lilya começou. Então, dia após dia, é entregue às mãos de clientes — uma ampla gama de idades e tipos —, e nenhum deles permite que a juventude evidente dela, ou o fato também evidente de que ela está agindo contra a vontade, interfira na própria luxúria. Ao contrário, todos se comportam como se a escravidão sexual fosse o destino de Lilya.

Na primeira vez que tenta escapar, é capturada e espancada. Na segunda vez, vai parar em uma ponte sobre uma via expressa. Embora a ajuda que vem sob a forma de uma policial esteja próxima, Lilya entra em pânico e pula.

Depois que ela pula, descobre-se que a garota em cuja vida e morte *Para sempre Lilya* foi baseado tinha junto ao corpo algumas cartas que escrevera. Foi assim que sua história ficou conhecida.

Vi o filme sozinha, no pequeno cineclube perto de casa, em um dia de semana à tarde. Pouquíssimas pessoas estavam na plateia. Eu me lembro de, depois que o filme acabou, ter que esperar para conseguir me recompor antes de sair da sala. Era um sentimento de humilhação. Várias fileiras na minha frente, outra mulher sozinha soluçava. Quando finalmente saí, ela continuava sentada, ainda soluçando. Eu me senti humilhada por ela também.

o⊱⊰o

De acordo com minha amiga, *Para sempre Lilya* foi exibido a grupos humanitários e de direitos humanos e em escolas de áreas onde meninas são especialmente vulneráveis a traficantes.

Não suficientemente brutal foi a resposta de um grupo de prostitutas moldávias convidadas a assistir ao filme.

Ainda mais chocante, para mim, foi ouvir o diretor dizer que ele acreditava que Deus cuidava de Lilya (assim como Volodya, depois de sua morte ela aparece na tela como um anjo), que sem tal crença ele não poderia ter feito o filme. Acho que sem ela eu teria me matado, ele disse.

E isso significa que ele pensa que aqueles que não têm tal crença, aqueles que não acreditam nem por um minuto que Deus olha as Lilyas do campo, deveriam se matar?

Minha amiga disse: Para as pessoas que foram vítimas de desigualdade e exploração, como aquelas presas no bairro miserável de Lilya, pode haver certo entendimento de por que elas maltratam umas às outras. Pode até haver perdão, ela disse. Mas o comportamento depravado de todos aqueles membros privilegiados do próspero Estado de bem-estar nórdico, esse é mais difícil de aceitar.

Uma vez vi uma fotografia em uma revista: uma longa fila de homens serpenteando do lado de fora de uma cabana usada por prostitutas adolescentes. Não me lembro de que parte do mundo era. Mas me lembro de que não havia nada nos homens que sugerisse algo incomum. Vários deles fumam um cigarro. Um olha para o relógio, outro observa o céu, outro lê um jornal. Em toda a cena, um ar de tédio paciente. Eles poderiam estar esperando um ônibus ou o atendimento em uma repartição pública.

Minha amiga me contou outro caso. Novamente, os médicos não encontraram nenhum ferimento ou doença que impedisse a paciente de falar como qualquer pessoa normal. Mas ela não falava. Quando lhe foi sugerido que começasse os registros diários, ela ficou entusiasmada. Em uma semana encheu uma pilha inteira de cadernos. Escreveu em uma letra surpreendentemente apertada, as menores letras imagináveis, minha amiga disse. Era assustador observá-la rabiscando. A mão inchou, formaram-se bolhas nos dedos, que passaram a sangrar, mas ela não parava — ela não podia parar.

Nunca soubemos o que ela estava escrevendo porque não compartilhou conosco, disse minha amiga. Mas eu não ficaria surpresa se fossem, sobretudo, repetições e incoerências. Felizmente, fomos capazes de lhe dar a medicação que a ajudou a parar a escrita maníaca e a voltar a falar.

Segundo Larette, ela também passara por um período de mudez. Sempre que tentava falar, sua garganta se fechava dolorosamente, como se mãos invisíveis a sufocassem.

Eu tentava muito, apesar da dor, mas o máximo que conseguia era emitir um guincho seco, como um rato asmático, que fazia as pessoas rirem. Fiquei tão envergonhada que parei de tentar. Quando queria me comunicar, eu escrevia, usava algum tipo de linguagem de sinais ou só movia os lábios. Ainda assim, minha garganta doía o tempo todo.

Na terapia, ela se lembra de um incidente no qual não pensava havia muitos anos. Ele envolvia a avó, sobre quem ela tentava pensar o mínimo possível. Quando Larette tinha dez anos, sua mãe foi esfaqueada até a morte por um namorado. Como não tinha pai, foi deixada aos cuidados da avó. Larette se referia a essa mulher, uma viciada em metanfetamina cada vez mais dependente, como "minha primeira senhora de escravos".

Ela foi a primeira a me vender para homens. Lembro-me de que estávamos sentadas à mesa da cozinha, e ela então se levantou e foi até a geladeira. Ela abriu o congelador e pegou um picolé, o qual desembrulhou e quebrou em dois. Lembro que era de cereja, meu sabor favorito. Ela colocou uma das metades na minha boca. Deixe-me ensinar a você, querida. Ela colocou a outra na própria boca e mostrou como fazer.

Essa era uma das várias lembranças das quais Larette tinha dúvidas sobre incluir em seu livro. Estava com medo de que soasse muito inventado. Ela continuou apagando-as, depois as colocando de volta, depois as apagando novamente.

Conheço outra mulher, uma escritora, que por vezes ganhava a vida como profissional do sexo. Ela é contra o mais recente pensamento que diz que toda prostituta deve ser vista como uma vítima de tráfico. Ela quer um limite rígido traçado entre o que constitui ser uma escrava e uma trabalhadora livre e disposta como ela. Batidas policiais em bordéis, homens pegos em flagrante pela polícia ou gravados por câmeras enquanto abordam prostitutas provocam a indignação dela.

Deus nos livre dos heróis em cavalos brancos, ela diz. Por que é tão difícil acreditar que nem todas nós precisamos, ou queremos, ser salvas? Tem sido sempre impossível para a sociedade aceitar que o que uma mulher faz com seu corpo é estritamente da conta dela?

Uma história que essa mulher gosta de contar diz respeito à atriz francesa Arletty, que em 1945 foi condenada por traição porque, durante a Ocupação, teve um caso com um oficial alemão. Em sua defesa, Arletty disse: Meu coração é francês, mas minha bunda é internacional. (Na verdade, minha amiga prefere uma versão diferente e mais sucinta do famoso gracejo de Arletty: Minha bunda não é a França.)

Minha amiga, a profissional do sexo, diz que está impressionada com a ingenuidade da maioria das mulheres. Elas não têm ideia de que a maioria dos homens teve relações sexuais com uma prostituta, entre eles o próprio pai, irmãos, namorado e marido. Ouvi Larette dizer a mesma coisa — como também ouvi homens dizerem que duvidam daqueles que afirmam nunca terem pago por sexo.

Em um recente documentário para a TV, uma ex-prostituta que trabalhava em um motel de um subúrbio explica que as manhãs de segunda-feira são seus horários mais disputados: ao que parece, nada era tão bom para os negócios dela quanto o fim de semana passado com a esposa e os filhos.

Uma vez, perguntei à minha amiga se ela gostava de ser uma profissional do sexo. Eu tinha certeza de que ela responderia que sim. Mas ela olhou para mim como se não tivesse me ouvido direito. Faço isso pelo dinheiro, ela disse. Não há nada para *gostar*. Se eu pudesse ganhar a vida escrevendo, eu não faria o que faço. É mais fácil do que dar aula, ela disse.

Tive que prometer não usar nada que as mulheres da oficina escreveram. Mas minha amiga psicóloga concordou em me deixar escrever sobre ela e o trabalho que realizou. Você, generosamente, lançou a ideia para um editor com quem almoçou. Logo recebi um contrato e um prazo.

Pouco tempo depois de nos formarmos, minha amiga publicou algumas histórias. As revistas em que apareceram eram pequenas, mas de prestígio, o tipo de periódico literário que é levado a sério. Uma das histórias foi premiada, e mais tarde, naquele mesmo ano, minha amiga foi indicada a um prêmio e, por fim, contemplada com ele, uma honraria concedida anualmente a jovens escritores promissores.

Quero saber por que ela parou de escrever.

Não foi exatamente uma decisão, ela disse. Foi apenas algo que aconteceu. Comecei a escrever um romance e estava tendo dificuldade em me concentrar, e alguém que eu conhecia sugeriu que eu tentasse meditação. Foi assim que aderi ao budismo. Passei um mês em um retiro aprendendo a meditar e, desde então, venho fazendo isso. Sei que muitos escritores têm se tornado budistas — e quem *não* pratica algum tipo de meditação ou ioga hoje em dia? E sei que há pessoas que afirmam que a meditação ajudou na carreira. Mas, desde que comecei a estudar o budismo, achei que ele entraria em desacordo com a vontade de ser escritora.

Quero esclarecer que, no entanto, nunca parei de escrever. Não havia por que fazer isso. Mantenho um diário — de fato, considero o registro cotidiano uma espécie de meditação — e escrevo poesia. As coisas que vejo todos os dias no meu trabalho são muito perturbadoras, e descobri que a poesia ajuda. Não é que eu escreva sobre o meu trabalho. Meus poemas tendem a ser sobre a beleza do mundo — sobre a natureza, em especial. Não é uma poesia muito boa, eu sei disso e não tenho vontade de compartilhá-la. Para mim, escrever poesia é como orar, e a oração não é algo que você precisa compartilhar com as outras pessoas.

Eu não queria me retirar completamente do mundo. Não estava prestes a me tornar uma monja budista ou algo do tipo. Mas, como disse, comecei a ter dúvidas sobre me tornar escritora. Eu não via como conciliar uma carreira literária com a prática do desapego. Logo depois que terminei o retiro budista, passei um período em uma colônia de artistas — eu esperava voltar aos trilhos em relação ao romance. Lembro-me de olhar para as outras pessoas ali, algumas apenas começando, como eu, e outras já estabelecidas, e de pensar no que era preciso — além de talento, claro — para ter sucesso. Ambição, ambição séria, e, se quiser fazer um bom trabalho, ser determinado. Superar o que os outros já fizeram. Acreditar que o que realiza é incrivelmente sério e importante. E tudo isso me pareceu estar em conflito com o aprendizado de ficar quieto. Desapegar.

E ainda que o ato de escrever não devesse ser uma competição, pude ver que na maioria das vezes os escritores acreditavam que era. Quando estava na colônia de artistas, um dos escritores conseguiu um adiantamento tão alto que foi objeto de uma reportagem no *New York Times*. Naquela noite, no jantar, ele disse: Lá se vão meus dois últimos amigos. Ele estava brincando, claro, mas notei que, sempre que um escritor é bem-sucedido, um grande esforço parece ser empregado na tentativa de derrubá-lo.

Além disso, parecia que o dinheiro estava em primeiro plano para todos. Não entendia isso. Quem se torna escritor por dinheiro? Lembro-me da minha primeira aula de escrita criativa, em que o professor disse: Se você vai ser escritor, a primeira coisa a fazer é um voto de pobreza. E ninguém na sala pestanejou.

Minha impressão era a de que todos os escritores que eu conhecia — o que naquela época significava praticamente todos os meus conhecidos — estavam em um estado de frustração crônica. Estavam constantemente preocupados com quem tinha o quê, quem era deixado de fora e como toda essa área era terrivelmente injusta. Era muito confuso. Por que precisava ser assim? Por que os homens eram tão arrogantes e por que tantos eram predadores sexuais? Por que as mulheres estavam tão zangadas e deprimidas? Realmente, era difícil não sentir pena de todos.

Sempre que eu ia a uma leitura, não conseguia deixar de me sentir envergonhada pelo autor. Eu me perguntava se eu queria ser a pessoa lá em cima, e a resposta honesta era não, claro que não. E isso não acontecia só comigo. Era possível sentir esse mesmo desconforto no restante da plateia. E me lembro de pensar: Era disso que Baudelaire falava quando disse que arte era prostituição.

Enquanto isso, eu ainda lutava com o romance. E então, certo dia, eu disse a mim mesma: Digamos que você não escreva esse livro. Não há um zilhão de outras pessoas querendo trazer romances ao mundo? Já não havia, de fato, muitos romances? Eu sinceramente achava que sentiriam falta do meu? E eu poderia justificar estar fazendo algo com a minha vida, minha única vida selvagem e preciosa, que eu soubesse que, se não fosse terminado, não faria falta a ninguém?

Nessa mesma época, ouvi por acaso um escritor falando em uma rádio. Não recordo quem foi, mas para mim poderia muito bem ter sido Deus. Lembro-me de ele dizer que, se em todo o ano seguinte nem uma única obra de ficção fosse publicada, no lugar da surpreendente quantidade de histórias e romances que sabíamos que o seriam, o efeito sobre o mundo seria basicamente o mesmo. Não é verdade, claro, porque suponho que haveria um efeito significativo na economia. Mas eu sabia o que ele estava dizendo, e senti como se ele estivesse dizendo aquilo para mim. E foi quando eu disse a mim mesma: Você deve mudar sua vida.

Não que eu não tenha tido arrependimentos. Houve vezes em que tive a péssima sensação de que eu era apenas uma desistente, preguiçosa ou covarde demais para viver de acordo com meu sonho. Mas se eu precisasse de provas de que havia tomado a decisão certa, era só olhar para os meus hábitos de leitura. Antes eu era a rata de biblioteca mais aficionada, porém, com o passar dos anos, tornei-me cada vez menos interessada em ler, sobretudo livros de ficção. Talvez tenha a ver com as realidades que vejo todos os dias, pois comecei a me entediar com histórias sobre pessoas inventadas vivendo vidas inventadas repletas de problemas inventados.

Mas, por um tempo, insisti. Comprava o livro que todo mundo chamava de obra-prima, ou o Grande Romance Americano, ou coisa do tipo, e não passava da metade dele. Ou, mesmo que o terminasse, não me lembrava dele depois. Na maioria das vezes, eu me esquecia do livro quase logo após fechá-lo. Então a situação chegou ao ponto em que praticamente parei de ler livros de ficção e percebi que não sentia falta disso.

E se ela não tivesse parado de escrever ficção, perguntei. Achava que ainda assim teria perdido o interesse em ler?

Eu não sei, ela disse. Só sei que estou muito mais feliz fazendo o que faço agora do que se estivesse fazendo o que você faz.

Talvez tenha sido um elogio o fato de ela ter sentido que poderia dizer tudo isso para mim sem a preocupação de me magoar.

O aluno que se gradua em escrita criativa e continua a... renunciar à escrita. Você e eu estávamos familiarizados com o tipo. Parecia haver um em todas as classes, e sempre nos perguntávamos: Por que tantas vezes era o aluno ou a aluna mais promissor(a)? (Exatamente o caso da Esposa Um.)

Escreva sobre um objeto. Escreva sobre algo que é ou foi importante para você. O objeto pode ser qualquer coisa. Descreva o objeto e, em seguida, explique por que ele é importante para você.

Uma mulher escreveu sobre cigarros. Os melhores amigos dela, foi assim que os chamou. Ela começou a fumar quando tinha oito anos. Eu nunca teria sobrevivido à minha vida sem eles, ela disse. Prefiro fumar a fazer qualquer outra coisa. Outra mulher escreveu sobre a faca que usou para se defender. E não foi a única a escrever sobre algum tipo de arma. Cerca de metade das mulheres, no entanto, escreveu sobre uma boneca. Todas as bonecas, com a exceção de uma, tiveram um final infeliz. Foram perdidas, quebradas ou, de uma forma ou de outra, destruídas. A única boneca a escapar de tal destino estava agora escondida em um lugar secreto, de onde a escritora um dia esperava recuperá-la. Isso foi tudo o que a mulher disse. Ela fez que não com a cabeça quando a recordei de que deveria descrever o objeto. Se fizesse isso, poderia atrair o mal, ela disse. A boneca sofreria algum dano, e ela nunca mais a veria.

oꕤo

Semana após semana, ao ler as histórias das mulheres na viagem de ônibus para casa, elas começaram a parecer uma grande história, a mesma história contada repetidas vezes. Alguém está sempre sendo espancado, alguém está sempre com dor. Alguém está sempre sendo tratado como escravo. Como coisa.

Alguns dos sofreres *são*:

Os mesmos substantivos: faca, cinto, corda, garrafa, punho, cicatriz, hematoma, sangue. Os mesmos verbos: forçar, bater, chicotear, queimar, engasgar, passar fome, gritar.

Escreva um conto de fadas. Para algumas, era a chance de fantasiar uma vingança. Novamente, sempre um conto de violência e humilhação. Sempre o mesmo vocabulário.

Nenhuma escrita é desperdiçada, você dizia. Mesmo que não funcione e você a acabe jogando fora, como escritor você sempre aprende alguma coisa.

Aqui está o que aprendi: Simone Weil estava certa. *O mal imaginário é fascinante e variado; o mal real é sombrio, monótono, estéril, entediante.*

Essa foi a última coisa sobre a qual conversamos quando você ainda estava vivo. Depois, houve apenas seu e-mail com uma bibliografia que achava que poderia ser útil para minha pesquisa. E, porque era fim de ano, os melhores votos para o Ano-Novo.

Parte 4

Soava tão improvável: um livro de memórias sobre um caso de amor entre um homem e uma cadela.

O homem: J.R. Ackerley (1896-1967), autor britânico e editor literário da revista da BBC *The Listener*.

A cadela: Queenie, uma pastora-alemã. Adquirida aos dezoito meses por Ackerley, na época um solteiro de meia-idade com uma história formidável de promiscuidade sexual que desistira de encontrar alguém para dividir a vida.

O livro: *My Dog Tulip* [Minha cadela Tulip]. A mudança de nome sugerida por um editor que viu um problema com "Queenie" [gíria usada para se referir a gays] porque era sabido que Ackerley era homossexual.

Naturalmente, foi por você que ouvi falar de Ackerley. Um volume com as cartas dele acabara de ser publicado. Vale a pena ler, você disse, como tudo o que ele escreveu.

Mas foram as memórias dele que você chamou de indispensáveis.

Encontre o tom certo e você pode escrever sobre qualquer coisa: muitas vezes eu me lembrava dessa máxima enquanto lia o livro. "Mais do que se deseja saber sobre o que entra ou sai da vagina, da bexiga e do ânus de uma cadela", alerta o comentário de um leitor. Na verdade, a maior parte de *My Dog Tulip* é sobre o que Ackerley chama de os "calores" dela. Embora às vezes o leitor não possa deixar de sentir que é inevitável e que, portanto, precisa se preparar para isso, nenhum ato de bestialidade ocorre. Mas dizer que o relacionamento não era íntimo seria uma mentira. O próprio Ackerley admitiu que às vezes tocava com simpatia a vulva em chamas que a cadela frustrada continuava empurrando para ele.

Considerar uma releitura é arriscado, sobretudo quando o livro é um dos que se amou. Sempre existe a chance de que não se sustente, de que se pode, por qualquer motivo, não amá-lo mais tanto. Quando isso ocorre, e para mim isso ocorre o tempo todo (e cada vez mais à medida que envelheço), o efeito é tão desanimador que agora abro com cautela meus antigos livros favoritos.

O estilo da prosa é tão encantador, a sagacidade tão aguda, a história ainda mais convincente do que me lembrava. Mas algo mudou. Na segunda vez, não considero o autor agradável. Eu o considero até um tanto desagradável. A hostilidade em relação às mulheres — será que não tinha notado isso ou simplesmente esqueci?

As mulheres são perigosas, especialmente as mulheres da classe trabalhadora... Elas não param por nada e nunca se esquecem.

A verdade é que Ackerley tem pouca afeição por humanos em geral. Mas a misoginia é clara. As mulheres são ruins *porque* são mulheres.

Uma exceção é feita para Miss Canvey, a veterinária competente e compassiva que imediatamente diagnostica a causa dos problemas comportamentais de Tulip como uma questão afetiva: *Ela está apaixonada por você, isso é óbvio.*

Assim como o fato de que ele está apaixonado por ela. Mas, por mais óbvio que seja, fico perplexa com o tratamento que ele dispensa a ela. Os problemas comportamentais de Tulip são graves. Um terror de cadela, mal-treinada, nervosa e excitável ao ponto da histeria, insociável. Late implacavelmente e ainda morde. O comportamento dela é tão ruim que prejudica as relações de Ackerley com as pessoas. Os amigos ficam consternados por ele não fazer mais para discipliná-la. Ele culpa "os distúrbios da psique dela", ocasionados na primeira casa, onde Tulip ficava muito sozinha e às vezes era espancada. Mas ele próprio muitas vezes sucumbe a repreendê-la e agredi-la, mesmo sabendo que tal punição só a confundiria.

Frustração, raiva, violência (as palavras dele). O padrão parece inevitável. Quando Tulip tem uma ninhada, intensificando o caos que já reinava no lar de Ackerley, ele às vezes agride os filhotes.

É difícil não concluir que, com um treinamento mais acertado, Tulip teria sido mais feliz e a vida de Ackerley (para não falar a dos vizinhos) teria melhorado muito. Mas ele é outro que rejeita a dominação. Fixou-se na ideia de que Tulip deve desfrutar uma vida canina completa. Ou seja, que ela deve ter permissão para caçar e comer coelhos, experimentar sexo e a maternidade. Mas, mesmo depois de uma ninhada, ele não se deixa convencer de que ela deve ser esterilizada: *Como posso interferir na vida de um animal tão belo?* Apesar de guardar alguns remorsos, ele é capaz de se importar menos com o destino dos filhotes vira-latas, para os quais ele sabe que não encontrará bons lares. As necessidades da amada são o que importa. Os calores dela não somente viram a vida dos dois de cabeça para baixo, como criam confusão para todo o distrito de Londres, dado o grande número de cães que, como a própria Tulip *mesmo no cio*, saem sem guia.

São páginas e páginas dedicadas aos tormentos da frustração sexual da cadela. Ackerley compartilha essa dor, e isso dilacera seu coração. Temporada após temporada eles sofrem juntos. Ainda assim, ele não a esterilizará. As descrições do autor sobre essa parte da existência de Tulip são tão angustiantes que eu queria gritar: Como você pode *não* interferir na vida dela?

Por mais que você tenha admirado o livro, lembro-me de que sentiu repulsa pela vida. Uma vida na qual o relacionamento mais significativo de uma pessoa é com uma cadela — o que poderia ser mais triste, você disse. Mas, para mim, pareceu que Ackerley havia experimentado ao máximo o tipo de amor incondicional que todos anseiam, mas de que a maioria nem se dá conta. (Quantos encontraram sua Tulip?, pergunta Auden.) Um casamento de quinze anos, os anos mais felizes de sua vida, disse Ackerley. E quando as agonias da última doença o forçaram a destruí-la: *Eu teria me imolado como em um cerimonial sati.* Em vez disso, ele continuou. Escreveu, bebeu. Seis lentos anos sombrios. Bebeu e bebeu, então morreu.

Homem e cão. Será que tudo realmente começou, como pensam os especialistas em animais, com mulheres que levavam filhotes de lobo órfãos aos seios para amamentá-los junto com os próprios bebês? E isso não se encaixa perfeitamente no mito dos fundadores gêmeos de Roma? Rômulo e Remo, abandonados ao nascer, aquecidos e amamentados por uma loba.

Uma pausa aqui para questionar por que chamamos um mulherengo de lobo. Afinal, o lobo é conhecido por ser um companheiro fiel e monogâmico e um pai dedicado.

Gosto de saber que, segundo os aborígines, os cães tornam as pessoas humanas. Também gosto desta frase (embora eu não consiga lembrar quem a disse): O que me impede de me tornar um misantropo completo é ver quanto os cães amam os homens.

Hipersensível a cheiros em geral e nauseento em relação ao corpo humano, Ackerley não ficou desconcertado com nenhum cheiro de Tulip, nem mesmo de suas glândulas anais, e viu beleza até mesmo na maneira como ela fazia cocô.

Ele escreve menos sobre os hábitos excretórios de Tulip do que sobre a vida sexual dela, mas ainda é bastante. E os detalhes...

"Líquidos e sólidos" é o nome desse capítulo.

Embora eu sempre leve Apolo para passear preso na guia, eu me preocupo, assim como Ackerley, com o fato de que um cachorro que faz suas necessidades na rua — especialmente um cachorro grande — pode ser atropelado por um carro. Infelizmente, Apolo costuma agachar-se a uma distância perigosa do meio-fio. Não posso, como Ackerley, resolver o problema deixando Apolo usar a calçada, mesmo que, diferentemente de Ackerley, eu seja sempre diligente na limpeza da bagunça. Minha solução, sempre que Apolo se posiciona longe o suficiente para ficar em perigo, é me instalar entre ele e o tráfego de veículos. É verdade que desse jeito eu me coloco em perigo, mas imagino que, e espero que não inocentemente, um motorista terá mais cuidado para evitar acertar um ser humano. Os motoristas de Manhattan não são nada pacientes. Muitos incomodados me xingaram. Mas há os que, eu sei, teriam desacelerado de qualquer maneira, como tantos pedestres fazem, para olhar.

Em "Como ser um *flâneur*", você disse que não considerava um longo passeio com um cachorro uma verdadeira *flânerie* porque não era o mesmo que vagar sem destino e porque ser responsável por um cão impedia que a pessoa caísse na abstração. Hoje passo tanto tempo levando Apolo para passear que não consigo me imaginar saindo para andar sozinha. O que me impede de cair em abstração, no entanto, ou de pensar muito, é o modo como ele chama atenção. Não lido bem com a atenção de estranhos em nenhum momento, mas, apesar de Apolo não demonstrar sinais de incômodo com a falta de privacidade ao fazer cocô, acho essas ocasiões especialmente constrangedoras. O pior é ser observada enquanto limpo tudo depois, o que parece dar a certo tipo de pessoa uma incumbência. As pessoas comentam o tamanho dos cocôs como se eu não estivesse ali com balde e pá (os quais, por si sós, são a causa de muito contentamento, embora eu estivesse satisfeita comigo mesma por ter tido a ideia de usar um balde de areia infantil forrado com uma sacola plástica e uma pequena espátula de jardinagem).

Sinto muito por você, alguém diz (sorrindo). Ou: Amo cachorros, mas nunca consegui fazer o que está fazendo.

Algumas pessoas me censuraram por ter um cachorro assim: Cachorros desse tamanho não deviam morar em grandes cidades!

Acho cruel, disse uma mulher. Manter um cão desse tamanho preso em um apartamento.

Ah, mas o dia já está terminando, respondi no mesmo tom. Voaremos amanhã para nossa mansão.

(Sim, claro, há também pessoas legais, sobretudo as que têm cachorros, e todas as outras que cuidam da própria vida ou dizem coisas gentis, amigáveis e inteligentes. Mas todos nós sabemos que a gentileza nunca é um tema tão interessante sobre o qual escrever ou ler.)

Líquidos: Quando vejo os litros saindo, sou grata por ele não levantar a perna como a maioria dos cães machos; em vez de só encharcar uma calota, ele poderia molhar uma janela.

Sólidos: já disse o suficiente.

E há algo *entre* líquidos e sólidos, a maldição das raças grandes. Tenho que limpar o rosto dele várias vezes ao dia. Chamo isso de limpar o convés.

Em vez de levá-lo ao antigo veterinário, o que significaria ter que encontrar um jeito de transportá-lo até o Brooklyn, encontrei outro a uma pequena caminhada de casa. Ele é bom com Apolo, mas tenho certa desconfiança dele, o tipo de homem que fala com as mulheres como se elas fossem idiotas e com as mulheres mais velhas como se fossem idiotas surdas.

Quando lhe digo que Apolo nunca brinca com outros cães, nem mesmo no parque dos cachorros, ele diz: Bem, ele não é mais tão jovem assim. Tenho certeza de que você também não corre e pula como fazia antes.

Ele encolhe os ombros após ouvir a história de Apolo. As pessoas abandonam animais de estimação o tempo todo, diz ele. São os cachorros que morreriam pelos donos, e não o contrário. (Obviamente ele não leu Ackerley.) As taxas de divórcio não revelam quanto vale a lealdade de um ser humano?, ele diz em um tom que me soa inquietante.

Alguém me disse certa vez que muitos veterinários tendem a ser irritadiços porque a profissão os expõe a uma faixa particularmente ampla de tolice humana — grande parte, sem dúvida, sob a forma de antropomorfismo. Lembro-me de um que revirou os olhos quando eu disse que meu gato ronronava o tempo todo e, portanto, devia ser feliz. O ronronar é apenas um barulho que eles fazem, não significa que eles sejam *felizes*, ele retrucou.

Esse novo me diz sem rodeios que, embora Apolo esteja em ótima forma para a idade, não terá uma vida longa. E por causa da artrite, ele diz, acredite que ele não gostaria de viver muito. Faça o que for, mas não deixe que ele ganhe peso.

O veterinário balança a cabeça para o trabalho malfeito nas orelhas e aponta o que mais o torna um exemplar menos perfeito da raça: peito e ombros muito largos em relação aos quadris; o pescoço que não é completamente branco puro e a distribuição assaz irregular das manchas pretas nas outras partes do corpo; olhos um pouco próximos demais; mandíbulas um pouco largas demais; pernas grossas nas laterais. Compleição robusta, mas em geral atarracado, sem a verdadeira elegância.

Ele não tem dificuldade em acreditar que o cão está de luto por seu dono anterior e que suas emoções se exacerbaram por muitas mudanças de ambiente. (Como *você* se sentiria?, ele pergunta asperamente, como se esse fosse um pensamento a que eu nunca tivesse chegado sozinha.) Conto a ele sobre o uivo e sobre o terrível novo sintoma que parece tê-lo substituído: De vez em quando Apolo sofre uma espécie de convulsão. Ele olha ao redor como se estivesse confuso. Então, com a cauda entre as pernas, agacha-se o mais rente possível ao chão, mas sem se deitar. É como se estivesse tentando diminuir. Então a tremedeira começa. Por períodos que duram de alguns minutos a meia hora, ele se encolhe e treme descontroladamente.

Qualquer um diria que ele acha que algo terrível está prestes a lhe acontecer, digo ao veterinário, afirmando para mim mesma que esses ataques são tão perturbadores de testemunhar que às vezes me levam às lágrimas.

Existem drogas para tratar a ansiedade e a depressão caninas, mas o veterinário não é entusiasta delas. Pode levar semanas para que uma droga se torne eficaz, diz ele, e muitas vezes ela não o será.

Vamos deixá-las como o último recurso, ele diz. Por enquanto, não o deixe sozinho por muito tempo e certifique-se de falar com ele. Exercite-o tanto quanto possível. Você também pode tentar fazer massagem, se ele deixar. Só não espere que ele se transforme no Sr. Cão Felizão. Talvez ele nunca se recupere, não importa o que você faça. E você nunca saberá por quê. Não é só o fato de não conhecer a história dele. As pessoas acham que os cães são simples, e gostamos de acreditar que sabemos o que se passa na cabeça deles. Mas descobrimos que na verdade os cães são muito mais misteriosos e complicados do que imaginávamos e, a menos que um dia desenvolvam nossa linguagem, nunca os conheceremos. O mesmo vale para qualquer animal, claro.

Ele é um bom cachorro, mas tenho que alertá-la, ele diz. Você é pequena, ele deve ter quase quarenta quilos a mais que você. (Isso foi lisonjeiro.) A maneira de lidar com cães de raças grandes e vigorosas é impedi-los de saber a verdade, ou seja, que você não pode obrigá-los a fazer algo que não querem.

Como se Apolo já não soubesse disso. Mais de uma vez, quando saímos para passear, ele decide que já andamos o suficiente. Ele para e se senta ou se deita no chão, e nada que eu faça é suficiente para convencê-lo a se levantar. Fico menos brava com ele do que com as pessoas que param para assistir e às vezes riem. Uma vez, um homem, pensando estar ajudando, parou a certa distância, ficou acariciando a perna dele e assobiando. Um som parecido com um trovejar veio como resposta, nova para os meus ouvidos e tão ameaçadora que o homem e várias outras pessoas por perto atravessaram rapidamente a rua.

Quem o treinou o fez entender que os humanos são os alfas, o veterinário diz, e você não quer que ele comece a pensar de outra maneira. Não quer que ele coloque na cabeça que ele é o alfa. Quando ele se apoiar em você, do jeito que os dogues alemães fazem, mantenha-se firme, não deixe que ele a derrube. Faça-o deitar de costas e passe algum tempo massageando o peito dele. E, pelo amor de Deus, volte a dormir na cama e deixe-o no chão. Você treina um cachorro com *Desça*.

A expressão do meu rosto ao ouvir isso claramente o irrita. *Ele é um bom cachorro*, ele repete, bem alto dessa vez. Não o transforme em um mau. Um mau cachorro pode facilmente se tornar perigoso.

Quando ele termina de examinar Apolo e de me dar uma palestra, já gosto mais do Veterinário Rabugento. Embora nem tanto da última observação dele: Lembre-se, a última coisa que você deseja é que ele comece a pensar que você é a cadela dele.

Agora que tenho Apolo, muitas vezes penso em Beau, o cachorro que era uma mistura de dogue alemão com pastor-alemão e pertencia ao namorado com quem morei aos vinte e poucos anos. Era filhote quando o conheci, e ele cresceu até ficar quase tão alto quanto um dogue alemão e com muitas das características da raça, mas com o temperamento e a agressividade de um pastor-alemão. Grande, desinteressado e muito dominante, ele chegava à rua como alguém à procura de briga (e muitas vezes, infelizmente, a encontrava). Nosso apartamento ficava em uma região perigosa, mas, enquanto Beau esteve conosco, nem sempre nos importávamos em trancar a porta. Eu o levava comigo para a casa de um amigo a uns três quilômetros de distância, ficava lá até uma ou duas da madrugada e depois voltava para casa pelas ruas escuras e vazias. Beau estava ciente do perigo potencial, era possível notar isso na tensão e na hipervigilância dele; era como um soldado sob a pele de um cachorro; ele estava *engatilhado*, como a arma de um combatente. Mais de uma vez, ele assustou algum cara que vagava em uma esquina ou na entrada de um prédio. (Eu diria que poucas pessoas que conheço naquela parte da cidade não tinham sido vítimas de assalto, roubo ou coisa pior durante aqueles anos.) Havia algo inegavelmente emocionante nos latidos e rosnados estrondosos de Beau, a postura que ele tomava em relação a mim contra tudo o que ele considerava uma ameaça (que incluía qualquer homem estranho que me encarasse), a certeza de que ele me defenderia — até a morte, se precisasse. Tudo isso era parte do motivo pelo qual eu o amava.

Além de que, naquela época, eu *gostava* da maneira como atraíamos atenção.

Mas as coisas são diferentes agora. A cidade se acalmou, as ruas estão seguras, e não ando mais por elas tarde da noite. À uma ou às duas da madrugada já estou dormindo. Não preciso de proteção. Não preciso de um cachorro valentão para me defender. Não quero que Apolo sinta que precisa latir ou rosnar para qualquer um. Não quero que ele se preocupe. Não quero que fique ansioso. Quero que ele sinta que ambos estamos perfeitamente seguros, não importa aonde vamos. Não quero que ele seja meu guarda-costas. Não quero que ele seja minha arma. Quero que ele relaxe. Quero que ele seja o Sr. Cão Felizão.

Ele sentiu sua falta, a moradora do apartamento de cima diz.

Eu a encontrei no elevador ao chegar do trabalho.

Significado: Apolo voltou a uivar.

Ele tem que esquecer você. Tem que esquecer você e se apaixonar por mim. É isso o que tem que acontecer.

Parte 5

"Você leu sobre os mastins tibetanos?"

Eu realmente tinha lido o artigo no *New York Times* e respondo isso, mas a necessidade da mulher de desabafar é grande demais: ela conta a história de qualquer maneira.

Há apenas alguns anos, na China, o mastim tibetano era um símbolo de status, um item de luxo com preço equivalente a duzentos mil dólares, em média, com alguns filhotes sendo vendidos por mais de um milhão. Conforme a mania chegou ao pico, cada vez mais cães passaram a ser produzidos por criadores gananciosos. Então a mania morreu. Valendo pouco, comendo muito, os cães enormes e às vezes difíceis de controlar não eram mais desejados. O que veio a seguir: abandono em massa. Cães despachados em caminhões, onde sofriam terrivelmente e muitos morriam. O abatedouro.

De verdade, essa não é uma história da qual eu precisava tomar conhecimento duas vezes.

A mulher é alguém que encontramos com frequência quando leva as duas cachorras vira-latas, mãe e filha, para passear. É a partir da notícia que ela dá início à sua lenga-lenga — também algo que já compartilhou comigo — sobre os males da criação de cães. Vira-latas são o que a natureza pretendia, vira-latas são o que deve existir. Mas o que temos em vez disso? Collies idiotas, pastores neuróticos, rottweilers assassinos, dálmatas surdos e labradores tão pacatos que você poderia disparar uma arma contra eles que nem assim suspeitariam do perigo. Vegetais dotados de pelos, aleijados, débeis mentais, sociopatas, cães com ossos muito finos ou carne muito gorda. *Isso é o* que você ganha quando cria cães com as características que as *pessoas* querem que eles tenham. Deveria ser crime. (Pensei que essa mulher fosse louca quando me contou sobre pointers ingleses que congelam ao apontar a presa para o caçador e depois não conseguem se mexer, mas essa história grotesca é real.)

Tremo ao pensar como as coisas serão em cinquenta ou cem anos, diz a mulher, parecendo mesmo muito melancólica. Mas até lá, acrescenta ela, o mundo todo terá sido destruído. E, talvez consolada por esse pensamento, ela pega as vira-latas e segue em frente.

Fico pensando nos mastins. Além de seu grande volume e da juba que os deixa parecidos com leões, eles são conhecidos por serem ferozmente protetores e leais aos donos. Então, o que um cão criado para ter essas características sente quando seu dono permite que ele seja levado para um desses caminhões? Ele entende a traição? Penso que provavelmente não. Talvez a principal preocupação na mente do mastim até o abatedouro seja: Quem vai proteger meu Dono agora?

Uma digressão. Sobre o sofrimento animal, o que realmente sabemos? Há evidências de que cães e outros bichos têm maior tolerância à dor do que os seres humanos. Mas sua verdadeira capacidade de sofrimento — como o seu verdadeiro grau de inteligência — deve continuar sendo um mistério.

Ackerley acreditava que estar tão envolvido emocionalmente com as pessoas e tentar agradá-las sempre tornava a vida de um cão cronicamente ansiosa e estressada. Mas eles sofriam de dor de cabeça?, ele perguntava, nem mesmo esse tipo de detalhe sobre eles é conhecido.

Outra questão: Por que as pessoas muitas vezes acham o sofrimento animal mais difícil de aceitar do que o sofrimento de outros seres humanos?

Veja Robert Graves, escrevendo sobre a Batalha do Somme: *O número de cavalos e mulas mortos me chocou; estava tudo muito bem com os cadáveres humanos, mas parecia errado que animais fossem arrastados para a guerra assim.*

Por que, de todas as lembranças terríveis de sua provação como prisioneiro de guerra no Japão durante a Segunda Guerra Mundial, Louis Zamperini, o atleta olímpico e aviador do Exército dos Estados Unidos, era mais assombrado pela lembrança de um sentinela torturando um pato?

É claro que, em cada um dos casos, o sofrimento foi causado pelo comportamento humano; no caso do pato, um ato de puro sadismo. Mas os animais não estão sempre à nossa mercê, e a pena que sentimos deles não tem a ver com o nosso entendimento de que eles são incapazes de saber o motivo de sua dor (fato que leva algumas pessoas a insistirem que os animais sofrem mais que os humanos)? Acredito que a intensidade da compaixão que uma pessoa sente por um animal tem a ver com a maneira como isso suscita pena de si mesma. Acredito que todos nós devemos manter, durante toda a vida, uma memória poderosa dos primeiros momentos vividos, uma época em que éramos tão animais quanto humanos, os sentimentos avassaladores de desamparo, vulnerabilidade e medo inexprimível e o anseio pela proteção que nossos instintos nos diziam que estava lá, desde que chorássemos bem alto. A inocência é algo que nós, humanos, atravessamos e deixamos para trás, incapazes de retornar a ela. Mas os animais vivem e morrem nesse estado, e testemunhar a inocência violada em razão da crueldade com um simples pato pode parecer o ato mais bárbaro do mundo. Conheço pessoas indignadas com esse sentimento, chamando-o de cínico, misantropo e perverso. Mas acredito que, quando não formos mais capazes de senti-lo, esse será um dia terrível para todos os seres vivos, e nossa ladeira abaixo para a violência e a barbárie virá muito mais rápido.

Quando as pessoas me perguntam por que parei de ter gatos, nem sempre dou a resposta verdadeira, que tem a ver com a maneira como os que tive morreram. Sofreram e morreram.

Todos os donos de animais de estimação passam por isso. Ele está doente, obviamente doente, mas o que é, o que há de errado com ele? Ele não pode dizer.

O pensamento intolerável de que seu cão, que acredita que você é Deus, que acredita que você tem o poder de interromper a dor, mas que por alguma razão (ele o desagradou de alguma forma?) se recusa a fazê-lo.

O poeta Rilke certa vez relatou ter visto um cachorro agonizante lançar um olhar repleto de reprovação para a dona. Mais tarde, ele atribuiu essa experiência ao narrador de um romance: *Ele estava convencido de que eu poderia ter evitado isso. Estava claro agora que ele sempre me superestimara. E não havia tempo para explicar isso a ele. Ele continuou a olhar para mim, surpreso e solitário, até que tudo acabou.*

A suspeita de que seu gato, orgulhoso e estoico que é, está escondendo o quão ruim as coisas realmente são.

A ida ao veterinário, o diagnóstico, finalmente, ao menos. Cirurgia, remédios. (Pare de cuspir aqueles malditos comprimidos!) Esperança. Então dúvidas. Como sei se ele está com dor e quanta dor? Estou sendo egoísta? Ele preferiria estar morto?

Ao longo dos anos, estive lá, várias vezes, vezes demais, segurando um gato que, o veterinário me garante, terá uma morte tranquila. Minha mãe, que também estivera lá, disse: Meu amorzinho permaneceu em meus braços o tempo todo, até o fim, ronronando. (Eu sei: é apenas um barulho que eles fazem.)

Pouco depois, morreu um dos meus dois últimos gatos (em meus braços, embora não estivesse ronronando) — com o qual morei por vinte anos, mais do que vivi com qualquer pessoa —, e a gata sobrevivente ficou doente. Ela andava de um lado para o outro, incapaz de descansar, nem por um único minuto. Imagine: uma gata sem sono. Queria comer, tentou comer, mas não conseguiu. A voz dela mudara, agora era sempre o mesmo miado perturbado e insistente: Ajude-me, por que você não me ajuda?

O ultrassom revelou uma massa. Nós podemos operá-la, disse a veterinária, uma jovem afável usando um uniforme cor-de-rosa. Mas considere a idade dela. Eu considerei, bem como quanto ela já estava sofrendo, e o fato de que, aos dezenove anos, ela poderia não sobreviver a uma cirurgia. A outra opção, disse a veterinária, é colocá-la para dormir.

Como Ackerley odiava esse eufemismo "desonesto". Mas sua palavra — *destruir* — sempre me pareceu estranha quando usada para um ser sensível. E nem ele nem ninguém usa o honesto *assassinar*. Eu tive minha cachorra Tulip *assassinada*. Levei meu gato ao veterinário para ser *assassinado*. Seria melhor ter o pobre coitado *assassinado*. Não há esperança, ele precisa ser *assassinado*. Se não pudermos encontrar um lar para eles, todos eles serão *assassinados*.

Você quer ficar com ela?

Claro.

Duas injeções, a veterinária explicou. A primeira é para acalmá-la...

A primeira injeção foi problemática. Algo a ver com desidratação e com a maneira como afetou as veias. E a gata, que até aquele momento se mantinha imóvel, tornou-se alerta. Esticou a pata e tocou meu pulso. Ergueu a cabeça, trêmula no pescoço fino e frágil, e me lançou um olhar incrédulo.

Não estou dizendo que foi isto o que ela disse, estou dizendo que foi isto o que eu ouvi:

Espere, você está cometendo um erro. Eu não disse que queria que você me *assassinasse*, disse que queria que você me fizesse sentir melhor.

A veterinária estava claramente perturbada. Antes que eu pudesse dizer algo, ela pegou a gata e se dirigiu para a porta: Eu já volto.

Estávamos em um hospital grande e movimentado com muitas alas diferentes. Eu não tinha ideia de aonde ela fora.

Dez minutos depois, ela retornou. Acomodou a gata na mesa, morta.

Você quer ficar com ela? Claro.

As palavras saíram da minha boca antes que eu pudesse detê-las: O que você fez?

Ouvi falar de um estudo segundo o qual os gatos, diferentemente de outras espécies de animais, não perdoam. (Como escritores, talvez, os quais, segundo um editor que conheço, nunca esquecem uma desfeita.)

Talvez a culpa fosse pior porque, de todos os gatos que eu tive, essa era a minha favorita, aquela que sempre ficava indiferente, aquela que não me deixava acariciá-la ou segurá-la no colo, mas que esperava até eu dormir para se acomodar no meu quadril. Agora ela se tornou aquela em que eu não conseguia parar de pensar. Eu encontrava um pelo ou um bigode de gato em algum lugar do apartamento e voltava a ouvir o miado rouco e frenético dos últimos dias dela. Não, eu não queria outro gato. Eu não queria nunca mais ver outro gato morrer, sofrer e morrer. Sem mencionar outra ansiedade: Se eu pegasse um gato, o que aconteceria a ele se eu morresse primeiro?

Assim talvez eu tenha sido salva de me tornar uma velha louca dos gatos. Fico contente que, na era da internet, que reviveu o antigo culto aos gatos como deuses, tal rótulo esteja perdendo seu estigma. Um residente médico me disse certa vez que aprendera em sua vivência na ala psiquiátrica que possuir vários gatos pode ser sinal de doença mental. Pensando nos casos terríveis de acumulação de animais de que eu tinha ouvido falar, achei bom que os psiquiatras estivessem atentos a esse terreno específico. Mas, quando perguntei a ele *quantos gatos* eram necessários para posicionar a pessoa além do limite aceitável, ele respondeu *três*.

Graças aos extraordinários poderes olfativos de um cão, sei que, embora já tenham se passado anos, Apolo está ciente de que essa casa já foi território felino. Quero saber: O que ele acha disso?

Há um filme húngaro chamado *Deus branco*, no qual os cães de Budapeste se rebelaram contra o opressor. Como todas as revoltas, essa tem um líder. Ele é Hagen, o querido vira-lata de uma menina chamada Lili. As provações dele começam quando o pai de Lili se recusa a pagar a taxa imposta a qualquer um que tenha um cão que não seja de uma raça pura. Abandonado, Hagen tenta encontrar o caminho de volta para Lili (que, enquanto isso, está fazendo o que pode para encontrá-lo), mas é frustrado primeiro por laçadores de cães e em seguida por um brutamontes, que, usando os métodos mais cruéis, treina Hagen para lutar. E é só depois que mata outro cachorro, a primeira vez de Hagen no ringue, que ele entende não apenas o que fez, mas o que foi feito com ele. Ele foge do treinador, mas logo é capturado por laçadores de cães e levado para um abrigo de animais, onde será sacrificado. Mas Hagen escapa mais uma vez, ao mesmo tempo libertando um grande número de cães, que o acompanham enquanto ele corre pelas ruas. O bando de cachorros corredores — em alguns casos agressores — ganha a companhia de outros cães, de todos os cantos da cidade: Hagen criou um exército canino. Um por um, seus inimigos são procurados e violentamente mortos. O outrora gentil Hagen foi tão transformado, contudo, que, quando finalmente reencontra Lili, no pátio do abatedouro onde o pai trabalha como inspetor de carne, ele expõe os dentes e rosna. Ela, afinal de contas, é um ser humano — e o pai de Lili, que iniciou essa guerra, está lá com ela. Assim como Hagen estão os membros do seu exército, todos preparados para atacar. A assustada Lili lembra como Hagen gostava quando ela tocava sua trompa (seu instrumento na orquestra da escola) e o efeito calmante que exercia sobre ele. Pega a trompa na mochila e começa a tocar. Hagen se acalma e se deita. Então todos os outros cães se aquietam e deitam também. Lili continua a tocar, prolongando o momento de paz.

Não é um final feliz, porque sabemos, logicamente, que os cães estão condenados. Eles, porém, se vingaram.

É fácil entender por que muitas pessoas — eu, inclusive, antes que uma professora de inglês do ensino médio me corrigisse — acreditam no que certa vez alguém disse: Música acalma até a fera mais selvagem.

A música tem encantos para serenar o *peito* mais selvagem, foi o que o dramaturgo William Congreve realmente escreveu. Mas faz parte de nossa mitologia: um animal selvagem ou raivoso acalmado ou domesticado pela música. O que faz sentido, em razão de tudo o que sabemos sobre como a música pode afetar o espírito de um ser humano.

Em *Deus branco*, logo antes de um cachorro ser sacrificado, ele é colocado em uma sala com uma TV exibindo o velho episódio do desenho de Tom e Jerry *O concerto*, no qual Tom interpreta a "Rapsódia Húngara n. 2" de Liszt ao piano.

Não sei se a música realmente pode acalmar o peito de um cachorro, mas na internet encontro isso entre as sugestões para lidar com a depressão canina.

(Você está escrevendo um livro? Está deprimido? Está à procura de um animal de estimação? Seu animal de estimação está deprimido?)

Mas que tipo de música?

Tive um coelho uma vez e o deixava solto pela casa. Na sala de estar havia um aparelho de som cujos dois alto-falantes grandes ficavam no chão. Sempre que tocava uma música, o coelho ia até um dos alto-falantes e se plantava lá. Normalmente, ele apenas ficava parado, escutando, ou talvez começasse a limpar as orelhas. Mas se eu colocasse "Sheep May Safely Graze", de Bach, ele se levantava e dava pinotes pela sala.

Que tipo de música? Alegre? Suave? Rápida ou devagar? A "Rapsódia Húngara n. 2"? Que tal Schubert? (Ah, talvez não Schubert, cuja pena, nas palavras de Arvo Pärt, era cinquenta por cento tinta, cinquenta por cento lágrimas.) E quanto ao álbum *Bitches Brew*, de Miles Davis? (Sei que isso tudo é idiotamente antropomórfico, mas às vezes essa é a forma que o amor toma.)

Coloco Miles Davis para ele ouvir. Coloco Bach e Arvo Pärt. Prince, Adele e Frank Sinatra. E Mozart, muito Mozart.

Nada disso parece afetá-lo. Não acho que ele esteja ouvindo. Se ele estiver, não acho que ligue.

Então me lembro de ter lido sobre um experimento no qual, após ser dado a um grupo de macacos a possibilidade de escolher entre ouvir Mozart e *rock-and-roll*, optaram por Mozart; quando a escolha, porém, foi entre Mozart e o silêncio, optaram pelo silêncio.

o⊂⊃o

Deus branco foi inspirado em parte pelo romance *Desonra*. Depois de perder o emprego de professor, David Lurie abandona a vida na Cidade do Cabo. Retira-se para uma aldeia na província Cabo Leste, onde a filha Lucy tem uma pequena fazenda de subsistência e onde ele acaba trabalhando em uma clínica de animais. Sobre o destino da multidão de cães indesejados, Lucy reflete: Eles nos dão a honra de nos tratar como deuses, e nós correspondemos tratando os bichos como coisas.

Uma carta do escritório administrativo do meu prédio diz que foram informados de que estou violando o contrato. O cão deve ser removido das instalações imediatamente ou...

Algo ruim acontecerá com o cão?

Parte 6

O problema com essa história, diz um aluno que chamarei de Carter sobre a história de uma estudante, a qual chamarei de Jane, é que a protagonista não é como uma personagem em uma história. Ela é mais como uma pessoa na vida real.

Ele diz isso duas vezes, pois minha mente vagou, e preciso pedir a ele que repita o que disse.

Você está dizendo que a personagem é muito real?, pergunto, embora eu saiba que é isso o que Carter está dizendo.

A personagem em questão é uma garota de cabelos ruivos e olhos verdes que se aproxima de uma garota de cabelos loiros e olhos azuis apenas para descobrir que o cara que a loira acabou de dispensar é o novo namorado da ruiva. A cor dos olhos e a do cabelo do namorado não são especificadas, mas ele é descrito como alto. Mais tarde, outra aluna, a quem chamarei de Viv, dirá que deseja saber se a namorada também é alta. Por que isso é relevante?, pergunto, mascarando minha exasperação (o máximo que pode ser dito para Viv, que odeia ser solicitada a explicar qualquer coisa e responde, irritada: Não posso simplesmente perguntar?).

Há coisas que eu também gostaria de saber. Por exemplo, por que, quando uma das duas garotas quer conversar, ela entra no carro e dirige até a casa da outra? Por que elas nunca usam o telefone, nem mesmo mensagens de texto, para descobrir primeiro se a outra está em casa? Por que não sabem coisas uma da outra que poderiam facilmente ter descoberto no Facebook?

É uma das grandes incógnitas da ficção estudantil. Li que os universitários podem passar até dez horas por dia nas mídias sociais. Mas, para as pessoas sobre as quais eles escrevem — principalmente as que são universitárias —, a internet praticamente não existe.

Os celulares não pertencem à ficção, um editor certa vez escreveu na margem de um dos meus manuscritos, e desde então — há mais de duas décadas — fico imaginando a desconexão entre a vida repleta de tecnologia e a história sem tecnologia.

Se existe alguém que poderia esclarecer esse assunto, certa vez pensei, são os alunos. Mas eles não ajudaram muito. A resposta mais interessante veio de uma aluna de graduação que era mãe de um menino de cinco anos. Sempre que ela lê uma história para o filho, ele interrompe: Quando eles vão ao banheiro? Mamãe, quando eles vão ao banheiro?

Há coisas que fazemos o tempo todo na vida real que não colocamos em nossas histórias: entendido. Mas ninguém passa dez horas por dia indo ao banheiro.

Pense na queixa de Kurt Vonnegut de que romances que excluem a tecnologia descaracterizam a vida tanto quanto os vitorianos a descaracterizavam ao excluir o sexo.

Mas esse é outro mistério. *Nada na cabeça e nada entre as pernas* é como um professor que eu conheço descreve os personagens nas histórias das oficinas de escrita. Esse professor é alguém que trabalha com isso há muito mais tempo do que eu e está prestes a se aposentar. Ele me diz que não foi sempre assim.

Eu me lembro de quando havia sexo, ele diz, muito sexo, e dos bem pervertidos. Agora todo mundo tem medo de ofender alguém, de causar alguma coisa. Mas nós devemos ser gratos a isso. Hoje podemos nos meter em problemas se discutirmos sexo na sala de aula.

Conheço outro homem, professor de uma faculdade só para mulheres, que se meteu em problemas por incluir Sua Primeira Experiência Sexual em uma lista de sugestões de temas para escrever, levando algumas alunas a apresentar uma queixa contra ele. Segundo o reitor, o que o professor havia feito poderia ser — e fora, na verdade — considerado uma forma de assédio sexual.

Fiz o curso on-line obrigatório da instituição em que leciono, Treinamento sobre Má Conduta Sexual, e ele abriu meus olhos para o fato de que qualquer referência oral ou escrita ao comportamento sexual, incluindo piadas ou caricaturas sugestivas, ou conversas informais sobre a própria vida sexual ou a de qualquer outra pessoa, é designada Má Conduta Sexual. Não parecia haver exceções para uma oficina de escrita criativa. Fiquei preocupada por ter indicado um conto que incluía uma cena de autoasfixia erótica, mas ele passou batido por meus alunos. Eu os alertei sobre a cena, e então fiquei preocupada porque talvez eu não devesse ter feito isso.

Embora confesse que apenas li por cima a maior parte do material do curso on-line, fiquei surpresa quando cheguei à parte final Teste seu Conhecimento ("Ninguém verá suas respostas, exceto o examinador") e errei duas das dez perguntas. Foi sugerido que eu relesse com mais cuidado as seções relevantes. Mas por que me incomodar com isso, uma vez que agora eu sabia que, sim, eu *era* obrigada a relatar imediatamente se soubesse de um professor ou uma professora namorando um aluno ou uma aluna e que, embora *não* tenha sido exigido, fui *fortemente aconselhada* a denunciar um colega ou uma colega que contasse uma piada desagradável, mesmo que a piada não me ofendesse.

O que estou dizendo, diz Carter, é que conheço essa garota. Posso lhe dizer exatamente como ela é fisicamente.

Como assim? A única coisa que eu poderia dizer sobre a aparência dessa garota é o que Jane afirmou: a cor dos olhos e a cor dos cabelos — a maneira usual de um aluno descrever um personagem, como se uma história fosse um documento de identificação, uma carteira de motorista. Isso é tão comum que cheguei a pensar que os alunos devem sentir que revelar muito sobre um personagem é grosseiro, uma invasão de privacidade, e que é melhor ser o mais discreto — isto é, indeterminado — possível. Um aluno escrevendo sobre Carter, por exemplo, diria que os olhos dele são castanhos, mas deixaria de fora a tatuagem de arame farpado em volta do pescoço ou a maneira como ele fica esfregando o pulso dolorido das horas que passa preparando bebidas com café expresso no Starbucks do campus. Ele mencionaria o cabelo castanho encaracolado, mas não que ele está quase sempre, não importa quão quente esteja o dia, coberto por um gorro preto. Ele provavelmente até esqueceria os alargadores de orelha do tamanho de uma moeda de um dólar, para os quais nunca posso olhar sem estremecer.

Posso lhe contar tudo sobre ela, diz Carter.

Para mim, a personagem principal é tão fina e cinzenta quanto o fio de cabelo que acabei de tirar da manga da minha blusa. Mas, para Carter, o problema com ela não é o fato de ser muito vaga, mas de ser muito familiar.

É a eterna crítica dele: Qual o objetivo de escrever histórias sobre o tipo de pessoa que você encontra todos os dias na vida real?

Ousada, Flannery O'Connor chamou a atividade de deixar os alunos criticarem os manuscritos uns dos outros de: o cego guiando outros cegos.

A ambição literária de Carter é ser o próximo George R.R. Martin. O romance que está escrevendo retrata confrontos épicos entre reinos imaginários travando uma guerra sem fim em busca de poder, dominação e vingança. Ao contrário de seu ídolo, porém, ele não pode ser censurado por cenas de violência sexual. Não há estupro nem incesto em suas páginas. Não há sexo, e mulheres dificilmente são mencionadas. Quando os outros alunos expressam dúvidas sobre um romance que não inclui personagens femininos significativos, Carter encolhe os ombros e não diz nada. Mas em minha sala ele me conta que há mulheres em seu romance. E há sexo, ele diz. Muitas cenas de sexo. A maioria é violenta. Há estupro. Há um estupro coletivo. Há incesto.

Eu apago todas as cenas para a oficina, ele diz.

Ele revira os olhos quando pergunto por quê.

Você está de brincadeira? Você sabe como as pessoas reagiriam. Quero dizer, as mulheres. Eu poderia ser expulso da faculdade.

Quando digo que tenho certeza de que nada disso aconteceria, ele não acredita. Hoje ele está usando o gorro preto (o que será que ele está vendo?) afundado na testa, o que lhe confere uma aparência de Cro-Magnon. Os lóbulos esticados fazem com que suas orelhas se assemelhem às de um dos meio-humanos da história.

Bem, não vou me arriscar, ele diz. Mas acredite em mim, está tudo lá. Todas as coisas pesadas, acrescenta. Isso desencadeia algo em mim. E ele percebe.

Mas se *você* quisesse ver, ele diz, eu mostraria a você.

Não acho que seja necessário, gaguejo, e ele me responde com um sorriso forçado.

A maioria dos meus alunos faz isto. Alguns dos meus colegas professores fazem isto. As pessoas que trabalham no meio editorial fazem isto. Todos são mais propensos a fazer isto se for uma escritora. Mas quando isto começou, esse hábito de se referir a autores que você não conhece pelo primeiro nome?

Uma festa literária no Brooklyn. Pego o trem 2 na rua 14. O vagão está cheio. Vejo duas pessoas de meia-idade, um homem e uma mulher, sentadas perto de mim, mas não o suficiente para que eu escute a conversa delas. A linguagem corporal sugere que são amigos ou colegas, e não um casal. Algo me diz que estão indo para o mesmo lugar que eu.

Meia hora depois, na Atlantic Avenue, eles descem comigo. É noite de sábado, a enorme estação está lotada, e logo os perco de vista. O evento ocorre em um salão a vários quarteirões da estação. Quando chego lá, vou direto para o bar, e lá estão eles, o homem e a mulher do trem 2, bem à minha frente na fila.

Neste semestre compartilho a sala com outra professora. Ela foi recém-contratada, e na verdade é a primeira vez que leciona. Acontece que há apenas alguns anos essa jovem foi minha aluna. Mesmo curso, mesma faculdade.

Ela às vezes faz meditação na sala, e o ar está impregnado com o aroma de mimosa ou flor de laranjeira das velas que acende.

Considerando que damos aula em dias diferentes, em geral não nos encontramos, mas nos mantemos em contato por meio de mensagens e anotações, e às vezes, atenciosamente, ela me deixa um agrado, como um biscoito, uma barra de chocolate ou um pacote de amêndoas defumadas. Certa vez, no meu aniversário, ela decorou toda a sala com flores.

Quando ainda era estudante, essa mulher fez uma jogada e tanto: vendeu o trabalho de conclusão de curso, um primeiro romance, sem nem ter chegado à metade dele, junto com um segundo romance que mal passava de uma ideia. Antes mesmo de o primeiro livro ser publicado, ela já começou a ganhar prêmios e, depois de receber, em um curto período, todos os prêmios literários existentes para escritores promissores — arrecadando quase meio milhão de dólares —, passou a ser chamada por nós de Esgotada.

Como esperado, o primeiro romance, quando publicado, recebeu críticas excelentes. Mas apesar disso, e apesar de ter recebido outro prêmio literário, o livro não vendeu. Em nosso pequeno e limitado mundo, Esgotada continua famosa, ela é "aquela garota que ganha tudo". Mas no resto do mundo, até mesmo entre os que prestam atenção na nova ficção, dois anos depois de sua estreia nem o título do livro, nem o nome da autora são conhecidos.

Não é nenhuma história nova e também não é nenhum fim do mundo. Mas tente dizer isso para Esgotada, que há dois anos não escreve nada.

Ela achava que ensinar poderia ajudar, ou pelo menos ser uma maneira útil de se ocupar. Como estudante, embora introvertida, ela irradiava confiança. Mas como professora ela está oprimida. Ela tem quase a mesma idade que a maioria dos alunos e é até mais jovem que alguns. Está plenamente consciente de como sua inexperiência transparece, de como está desprovida de autoridade projetada. Tem a voz alta, fina e naturalmente trêmula, além de a tendência de, quando ansiosa, ficar ruborizada.

É rude com as alunas, que também o são com ela e lhe transmitem o quem-você-pensa-que-é que as mulheres às vezes direcionam às outras, em particular às esforçadas e ambiciosas. Entre os alunos, três já flertaram com ela. Um é tão bem-sucedido em despi-la com os olhos que ela se depara consigo mesma sentada na sala de aula com os braços cruzados sobre os seios. E, pior, ela se sente imensamente atraída por ele.

Às vezes tem ataques de pânico antes das aulas. Daí a meditação, às vezes complementada com benzodiazepínicos.

Esgotada é atormentada não só pelo medo de nunca mais escrever, mas também de que toda a sua vida seja uma mentira. Tudo o que alcançou até agora foi resultado de algum erro. Por que alguém quis publicá-la — por que alguém achou que ela poderia lecionar — isso é desconcertante! Quanto ao segundo romance, não importa quantas extensões de prazo o editor lhe conceda, ela sabe que nunca o terminará.

Esgotada vive no terror de ser exposta: ela não é apenas um fracasso, ela é uma fraude. *E vocês poderiam parar de chamá-la de Esgotada!*

É inútil lembrar a ela que dúvidas idênticas atormentaram escritores de todos os tempos, incluindo, e talvez até em especial, alguns dos maiores. É inútil citar Kafka em *A metamorfose*: "Imperfeito quase até a medula".

Outra professora, que frequenta a faculdade nos mesmos dias que Esgotada, relata que às vezes a ouve chorar atrás da porta fechada, uma vez porque estava lutando desesperadamente para escrever um simples relatório de duas páginas sobre a tese de um aluno.

No dia em que assisto a uma das aulas dela para a monitoria obrigatória do departamento, vejo como o aluno pelo qual ela confessou se sentir atraída olha para ela com uma expressão de desejo afetuoso. Não escrevo no meu relatório o que acredito ser a situação, que ela está tendo um caso com o aluno. Se eu tiver sorte, ela não vai confiar em mim, ela não vai procurar o meu conselho.

Posso ver isto acontecendo um dia: estarei em determinado lugar, talvez uma loja de produtos de beleza, um salão de cabeleireiro ou o banheiro de uma casa onde eu esteja como convidada. Vou sentir um aroma especial, de mimosa ou flor de laranjeira, mas não me lembrarei das velas que Esgotada acendia em nossa sala, e então ficarei perplexa com a minha reação: um tremor de alarme, como se tivesse assimilado telepaticamente que alguém que conheço está em apuros.

Em frente à sala que compartilho com Esgotada fica a sala do Escritor Visitante Ilustre deste ano, mas ele nunca está lá. Ele não segue o horário de expediente e instruiu o secretário do curso a encaminhar a correspondência para a casa dele, em vez de usar a caixa de correio da faculdade. Quando vem para lecionar, vai direto para a sala de aula. Poucos colegas cruzam com ele, e, quando o fazem, ele olha através da pessoa, como se ela não estivesse lá. Antes do início do semestre, ele instruiu a cadeira a informar ao corpo docente que ele não escreve elogios para livros. E informou diretamente aos alunos no primeiro dia de aula: Não faço cartas de recomendação. *Nem me peçam isso.*

Quando você ouviu isso, ficou indignado: Eu deveria ter dito a mesma coisa a *ele* quando pediu que eu escrevesse uma carta para o Guggenheim.

Logo após o início do semestre, ele faz uma leitura em uma Barnes & Noble. O fato de o público ser escasso não o desencoraja; ele lê por quase uma hora.

Durante as perguntas e respostas, quando alguém questiona por que o livro dele, cuja forma é altamente anticonvencional, é chamado de romance, ele responde: É um romance porque eu digo que é.

Na sessão de autógrafos, uma mulher insiste que ele escreva outro livro o mais rápido possível. Porque, você sabe, ela diz sinceramente, nada mais me interessa.

Na Barnes & Noble.

o⊂⊃o

Nos noticiários: Trinta e dois milhões de americanos adultos não sabem ler. O potencial público leitor de poesia encolheu em dois terços desde 1992. Uma mulher sobrecarregada com o aluguel, preocupada em como sobreviver em Nova York, decide escrever um romance ("e ele está indo bem").

Parte 7

A Esposa Um mora no exterior. Ela esteve em Nova York para a homenagem póstuma, e, uma noite antes de voar de volta para casa, nós duas saímos para jantar.

"Eu sei que é pior para você", ela disse docemente. "Fomos casados, mas há muito tempo. E, depois que acabou, nada. Nenhuma amizade, nenhum contato, nada. É assim que tem que ser. E vou ser sincera, no começo achei que nem viria para a homenagem póstuma. Mas então pensei, você sabe, encerramento. Seja lá o que isso de fato signifique."

Quando é suicídio, alguém na homenagem póstuma disse, não pode haver encerramento.

"Mas vocês", disse ela. "Vocês dois foram tão amigos por tanto tempo. Como eu invejava isso. Eu pensava que, se ao menos ele e eu não tivéssemos nos apaixonado, *nós* poderíamos ter tido uma amizade como essa!"

Mas não houve como resistir, ele estava ali. Um amor tão poderoso que poderia ter sido o efeito de um feitiço. Uma daquelas grandes paixões dadas apenas a alguns; aos demais restava apenas ouvir falar desse amor e sonhar com ele.

Mesmo agora ele tem a força de uma lenda para mim: lindo, terrível, condenado.

Eu me lembro de quando estar perto de vocês dois era como estar perto de uma fornalha. E me lembro de pensar, quando as coisas deram errado, que um dos dois ia acabar morto. Você mesmo disse que às vezes sentia que estava fazendo algo proibido, até mesmo criminoso. E ela, com a formação católica que teve, estava convencida de que essa idolatria só podia ser pecado. E, claro, no fim foi isso o que levou a Esposa Dois ao desespero: não o fato de você ser mulherengo, mas a crença de que tal amor não ocorre duas vezes na vida, que tudo o que você sentia por ela não poderia ser igual ao que sentia pela Esposa Um, a qual, ela temia, ainda era dona do seu coração.

Se ao menos ele e eu não tivéssemos nos apaixonado: ela dizia repetidamente.

"Eu estava pensando nisso na corrida de táxi até aqui. Lembra como nós o adorávamos? Como éramos todas as suas *groupies*? Como era que nos chamavam naquela época?"

"A família Manson da literatura."

"Ah Deus, sim. Ugh. Como pude esquecer?"

Lembra como guardávamos cada palavra sua e como comprávamos todos os livros e álbuns que você mencionava?

Lembra como tudo o que escrevíamos era alguma imitação patética dos seus textos?

Lembra como nos fez acreditar que um dia você ganharia o Prêmio Nobel?

Agora ele é apenas outro homem branco morto.

Ele fez tudo certo, eu disse. Fez mais e melhor que a maioria dos escritores.

"Mas ouvi dizer que nos últimos dois anos ele não escreveu muito."

Não.

"Ele parecia tão deprimido? Ele falava sobre isso? Eu só queria entender, pois isto tem me tirado o sono: por que ele desistiu de dar aulas?"

Enumero a ela as suas várias queixas, que não eram muito diferentes daquelas ouvidas todos os dias de outros professores: como até mesmo alunos das melhores escolas não distinguiam uma boa sentença de uma ruim, como ninguém mais da área editorial parecia se importar com o fato de que nada relevante estava sendo escrito, como os livros estavam morrendo, a literatura estava morrendo e o prestígio do escritor caíra tanto que o maior mistério era por que todos, sem exceção, queriam se tornar autores, como se isso fosse o caminho para a glória.

Conto a ela sobre a sua perda de convicção no propósito da ficção — hoje, quando nenhum romance, não importa quão brilhantemente escrito ou repleto de ideias ele seja, teria um efeito significativo sobre a sociedade, quando seria impossível imaginar qualquer coisa parecida com o que levou Abraham Lincoln a dizer, ao conhecer Harriet Beecher Stowe, em 1862: Então você é a pequena mulher que escreveu o livro que deu início a esta grande guerra.

Se Abraham Lincoln realmente disse isso.

E então me lembro da entrevista.

Que estranho tê-la esquecido, mesmo por um tempo. A entrevista, que agora me ocorre que foi provavelmente a sua última, para a edição inaugural de uma revista literária do Meio-Oeste.

A entrevista na qual você fez a previsão de que haveria uma onda de suicídios entre os escritores.

E quando você imagina que isso ocorrerá?

Em breve.

Lembro-me de ter ficado surpresa por você não ter me contado sobre aquela entrevista, que eu poderia não saber da existência dela se outro amigo não a tivesse encaminhado para mim.

Não contei porque estava envergonhado. Só mais tarde me dei conta de como ela soaria — melodramática, repleta de autopiedade. Eu havia tomado alguns drinques.

Lembro-me de que o entrevistador fez a pergunta habitual sobre o público, se você escrevia tendo um leitor particular em mente. O que fez com que você disparasse a falar sobre o relacionamento entre escritor e leitor e sobre quanto esse relacionamento havia mudado. Quando você era um jovem escritor, alguém lhe disse: Nunca suponha que seu leitor não seja tão inteligente quanto você. Um conselho que você guardou para sempre. Você escrevia com esse leitor em mente, você disse, alguém tão inteligente quanto você — ou, por que não, mais inteligente! Alguém intelectualmente curioso, que tinha o hábito de ler, que amava livros tanto quanto você. Que amava ficção. E então, com a internet, surgiu a possibilidade de conhecer a reação de leitores reais, dentre os quais você ficou satisfeito em encontrar alguns que de fato combinavam, mais ou menos, com o leitor que tinha em mente. Mas havia outros — não apenas um ou dois, mas um bom número — que interpretaram mal, ou não compreenderam, em alguns casos com muita gravidade, o que você havia escrito. Já é preocupante quando o leitor odeia o livro, só que não era esse o caso. Assim como outros escritores, você agora se encontrava regularmente condenado ou elogiado por coisas que nunca lhe ocorreram, coisas que você nunca expressou e nunca expressaria, coisas que representavam o oposto daquilo em que você de fato acreditava.

Tudo isso, você disse, o chocou. Porque, embora você soubesse que deveria estar feliz por cada exemplar vendido e se sentir grato ao leitor, que, afinal de contas, poderia ter escolhido qualquer um dos milhões de outros livros, mas preferiu o seu, você honestamente achava difícil ficar feliz com um leitor que entendeu tudo errado, honestamente preferiria que um leitor assim ignorasse seu livro e escolhesse outra coisa para ler.

Mas não tem sido sempre assim?

Sem dúvida. Mas no passado o escritor não precisava saber disso, o problema não estava na cara dele.

Mas o que dizer de "Confie no conto, não no artista" e de ser a função do crítico proteger a obra do seu autor?

O "crítico", para Lawrence, não era, como você sabe, alguém assim autoproclamado. Eu adoraria ler a resenha de um leitor que protegeu um livro do seu autor.

Bem, vou apenas bancar o advogado do diabo aqui: Digamos que eu convide alguém para jantar e prepare um maravilhoso ensopado de carne de vaca e que a pessoa devore o prato e diga, Que delícia, esse foi o melhor ensopado de cordeiro que comi na vida! Qual o problema nisso? O importante não foi ela ter gostado?

Ah, então estamos falando de um jantar? Bem, deixe-me dizer o seguinte: Eu não aceito de bom grado que eu escreva *carne de vaca* e alguém escolha ler *cordeiro*. Não aceito pessoas falando de um livro como se ele não passasse de um produto, como um prato, um aparelho eletrônico ou um par de sapatos, para ser classificado de acordo com a satisfação do cliente — esse era o maldito problema, você disse. Nem mesmo aqueles seus alunos aspirantes a escritores analisavam um livro considerando quão bem ele havia realizado as intenções do autor, apenas se era o tipo de leitura de que gostavam. E então você recebia trabalhos com afirmações do tipo "Eu odeio Joyce, ele é tão cheio de si" ou "Não vejo por que eu deveria ler sobre problemas de pessoas brancas". Você recebia opiniões de clientes repletas de ressentimento, sugerindo que, se um livro não afirmava o que o leitor já sentia — com o que ele poderia se identificar, com o que ele poderia se relacionar —, o autor não tinha nada que tê-lo escrito. Aquelas histórias hilariantes que as pessoas amavam e adoravam compartilhar — o membro do clube de leitura que dizia: Quando leio um romance, quero que alguém morra na história; a reclamação contra o *Diário de Anne Frank*, no qual nada acontece e a história termina de repente — não faziam *você* rir. Ah, você sabia que muitas pessoas, outros escritores, inclusive, o acusavam de ser preciosista. Alguns diziam que, afinal de contas, a única maneira de um artista saber se seu trabalho havia falhado era que todos o tivessem "captado". Mas a verdade é que você ficou tão desanimado com a onipresença da leitura descuidada que alguma coisa aconteceu, uma coisa que achava que nunca aconteceria: você começou a não mais se importar se as pessoas liam ou não seus livros. E, embora soubesse que seu editor se irritaria se você dissesse isso, você estava inclinado a concordar com qualquer um que dissesse que nenhum livro verdadeiramente bom poderia ter mais de três mil leitores.

"Ah, querida", diz a Esposa Um.

Perto do fim da entrevista, você entrou no assunto mentoria e ensino e criticou as novas regras que proibiam relacionamentos amorosos entre professores e alunos.

Que tamanha besteira essa noção de tornar a universidade um lugar seguro. Pense em todas as coisas maravilhosas da vida que poderiam não ter ocorrido — todas as grandes coisas que não teriam sido criadas, descobertas ou imaginadas — se a prioridade fosse fazer com que todos se sentissem seguros. Quem gostaria de viver em um mundo assim?

"Ah, querida, ah, querida."

A única parte da entrevista que eu já não tinha ouvido de você era aquela sobre os suicídios.

Eu havia tomado alguns drinques. Pedi para ver a entrevista antes que ela fosse publicada e me foi dito que sim, claro, mas o idiota nunca me mandou.

Conto à Esposa Um sobre o episódio com as alunas que não queriam ser chamadas de *querida*. Algo que não conto a ela, do qual eu tinha me esquecido, mas que agora acaba de voltar à minha mente: no dia da entrevista você estava chateado, e você me disse por quê. Suspeitava que seu agente havia enviado seu último romance ao editor sem tê-lo lido.

Fico feliz em saber que a revista está fechando. Era uma revistinha de merda.

— É isto o que tem me tirado o sono — diz a Esposa Um. — Li algo sobre as pessoas que tentam se matar e sobrevivem, que quase todas elas se arrependem. E que as que se atiram de um lugar alto dizem que, assim que se jogam, sabem que cometeram um erro, que na verdade não querem morrer.

Também ouvi dizer isso, mas conheço outra história, de outra época, sobre o que os legistas supostamente aprenderam com os cadáveres de pessoas que haviam se matado por afogamento no rio Sena, se não me engano. Aqueles cujo motivo para desejar morrer era amor tentaram nadar e sair da água. Aqueles cujo motivo era a bancarrota afundaram como pedras.

Envelhecer. Sabemos que isso deve ter sido a coisa mais difícil, muito mais difícil para você do que para as outras pessoas. Um homem que um dia pôde ter tido a mulher que quisesse. Que tinha *groupies* ouvindo com atenção cada palavra que dissesse e acreditando que ele ganharia o Prêmio Nobel.

Mesmo que fosse apenas um bando de garotas tolas e apaixonadas como nós.

Começamos a chamar atenção. Duas mulheres debruçadas sobre os pratos, de mãos dadas, enxugando os olhos com o guardanapo.

Depois, quando ela vê Apolo pela primeira vez, no Skype, ela diz: “Puta merda! Não posso acreditar que eles empurraram um monstro assim para cima de você. Não é de admirar que ninguém o quisesse”.

Estremeço. Não suporto ouvir Apolo ser chamado de indesejado. Eu me lembro da Esposa Três ignorar a minha observação de que devia haver muitas pessoas que gostariam de um cachorro tão bonito: Talvez se ele fosse um cachorrinho.

"E não entendo como ele poderia ter esperado que você o adotasse se isso significasse perder seu apartamento."

"Tenho certeza de que nunca disse a ele que eu não poderia ter um cachorro, ou ele pode ter esquecido."

"Mas o fato de ele não ter perguntado, nem ao menos sondado você sobre o assunto, como se sua opinião não contasse. Não consigo imaginar o que ele estava pensando."

Mas eu posso. Pois já imaginei muitas vezes: como, dentre tantas perguntas possíveis, a que lhe ocorreu foi o que acontecerá ao cachorro.

Sei de uma suicida que tinha entre as últimas tarefas levar seu cachorro para um abrigo de animais. Uma despedida sobre a qual é melhor nem pensar.

O fato de você não ter registrado isso: como a maioria dos suicidas, você não deixou nada por escrito. Também não alterou nada no testamento que fizera anos antes. Mas você se certificou de que sua esposa soubesse.

Ela mora sozinha, não tem companheiro, filhos ou animais de estimação, trabalha na maior parte do tempo em casa e adora animais —foi o que ele disse.

Talvez em algum momento você tenha pensado em discutir o assunto comigo, talvez estivesse planejando fazer isso. Mas então. Os suicidas geralmente escolhem seu momento aleatoriamente, segundo me disseram, em um clima de agora ou nunca, quando até mesmo uma pausa para rabiscar uma despedida pode significar tempo para perder a coragem. (Aquele que hesita não está perdido.)

Talvez você temesse que, se realmente tivéssemos tido essa conversa — o que aconteceria com seu cão no caso de sua morte —, eu pudesse adivinhar o que você estava pensando ou ao menos suspeitar disso.

Quando conto à Esposa Um quantos anos Apolo tem, um cão idoso de uma raça de vida curta a quem o veterinário deu mais uns dois anos de vida, ela diz: "Isso torna tudo ainda pior. Se ele fosse um filhote, talvez eu até entendesse. Mas o que você pode fazer com um cachorro velho desse tamanho? Como vai cuidar dele se ele ficar doente?".

Esse pensamento, com todas as suas terríveis implicações, já me ocorreu, claro.

"Não sei", diz ela. "Sinto que há algo louco em toda essa situação."

Ah. Desde que soube da sua morte, eu muitas vezes me sinto como alguém que vive com um pé na loucura. Logo no início, houve momentos em que eu me dava conta de estar em um lugar sem me lembrar de como chegara ali, quando saía de casa para fazer alguma coisinha e esquecia o que era. Fui um dia para a faculdade sem as anotações, sem as quais eu não podia dar aula. Confundi as consultas médicas e apareci no consultório errado. Por que os alunos estavam me encarando? Será que eu disse algo sem sentido ou repeti o que dissera cinco minutos antes? Ou eu estava imaginando que eles me encaravam?

Um cartão de pêsames da Hallmark enviado pela secretária do departamento — medonho e comovente — me faz chorar por uma hora.

No momento em que Apolo veio morar comigo, esses incidentes tornaram-se menos frequentes. Mas perduram na névoa do irreal. Às vezes, é como se eu realmente estivesse em um conto de fadas. Quando as pessoas me dizem: O que vai fazer quando for despejada? Você não pode simplesmente ficar sentada esperando por um milagre, eu penso, mas é isso o que estou esperando!

Estou em uma daquelas histórias em que uma pessoa é submetida a um teste, uma daquelas fábulas em que alguém encontra um estranho — um humano ou um animal — que precisa de ajuda. Se ela se recusa a ajudar, recebe uma punição severa. Se é gentil com o necessitado — muitas vezes rico, poderoso ou um membro da realeza disfarçado —, ganha uma recompensa, mais frequentemente o amor do ser cuja identidade nobre foi então revelada.

Gosto da história de Greta Garbo durante a exibição do filme *A Bela e a Fera*, de Cocteau. No final, quando o feitiço é quebrado e a Fera surge na forma principesca do ator Jean Marais, todos a ouvem gritar: Devolva a minha fera encantadora!

Às vezes, um cachorro aparece nesse tipo de história. Como o conto islâmico sobre uma prostituta que leva água para um cachorro sedento e, por esse ato, ela agrada Deus, é perdoada por todos os pecados e recebe a permissão para entrar no céu.

"Não é culpa dele não ser um filhote fofo. Não é culpa dele ser tão grande. E pode parecer loucura, mas tenho a sensação de que, se eu não ficar com ele, algo ruim vai acontecer. Se ele tiver que se mudar mais uma vez, poderá desenvolver tantos problemas que acabará tendo que ser sacrificado. E não posso deixar isso acontecer. Eu tenho que salvá-lo."

A Esposa Um diz: "De quem estamos falando?".

É essa a loucura disso? Será que acredito que se eu for boa para ele, se eu agir desinteressadamente e fizer sacrifícios por ele, será que acredito que, se eu amar Apolo — o encantador, idoso e melancólico Apolo —, acordarei uma manhã para descobrir que ele desapareceu e você está no lugar dele, de volta do mundo dos mortos?

Agora que Hector me denunciou ao senhorio, ele se sente mal. Sempre que me vê, parece envergonhado.

Eu sinto muito, ele diz, mas você sabe, você sabe...

Sei que você teve que fazer o seu trabalho.

Ele é um bom cachorro, ele diz.

Parece comovido com o fato de que Apolo ainda permite ser acariciado na cabeça, como se pensasse que Apolo sabe o que Hector fez.

Você tem para onde ir?

Ainda não, mas vai aparecer um lugar, digo a ele com uma alegria que não preciso fingir: minha vida se tornou tão irreal que mal li o segundo aviso do escritório administrativo do prédio antes de jogá-lo fora.

É uma pena, diz Hector. Um animal tão bonito. Eu sinto muito.

Não é sua culpa.

Para provar que não o culpo, planejo lhe dar uma gorjeta maior neste Natal do que no do ano passado.

Não sei ao certo se Apolo gosta de ser massageado ou se está apenas tolerando. Mas continuo assim mesmo, fazendo com que ele se deite primeiro de um lado e depois do outro, parando no meio para uma massagem no peito. A massagem no peito é a que ele parece preferir. Ele não gosta de ter as patas tocadas, embora a criança traquinas dentro de mim continue tentando.

Ele se acostumou à nova casa e a mim. Exceto no período em que tenho que ir para a faculdade, eu não o deixo sozinho. Quando estamos separados, não paro de pensar nele e fico ansiosa para voltar para perto dele. Ele me cumprimenta na porta (será que ficou atrás dela o tempo todo?), mas com um olhar sonolento que diz que a espera não foi fácil. (Quão boa é a memória dele? Se for muito boa, como dizem que é a memória dos cães, que tristeza pode provocar nele o fato de ficar trancado sozinho. E será que ainda é *você* — o pensamento dilacerador de corações — que ele espera atrás da porta?)

A cauda dele se move de um lado para o outro, certamente é um abano, mas de um tipo melancólico. Mas nunca é o furioso chicote para trás e para a frente pelo qual o dogue alemão é conhecido (até o ponto de os ferimentos na cauda e os danos aos objetos de casa serem comuns: a razão pela qual muitos donos preferem encurtá-lo).

O colchão de ar está de volta ao armário. Mas isso não é algo definitivo. Ele nunca mais rosnou para mim, e, quando digo *Desça*, em geral não preciso repetir. Ainda assim, a cama é o lugar onde ele deseja estar, especialmente à noite. (Tentei fazer com que ele considerasse o colchão de ar como uma cama de cachorro, mas não funcionou.) Apesar do que o veterinário disse, não vi a necessidade de bani-lo totalmente da cama. Afinal, muitas pessoas deixam seus cachorros ficarem na cama. Algumas até estendem um cobertor extra aos seus pés para o cachorro dormir. Se Apolo fosse um poodle toy enrolado em um cobertor extra ao pé da cama, não haveria nada de excepcional nisso. Por que é diferente quando o cão é do tamanho de um homem e se deita todo esticado, com a cabeça apoiada no próprio travesseiro? Reconheço que é diferente. Mas deixe-me dizer o seguinte: Quando você está deitado na cama com a mente cheia de pensamentos, como por que seu amigo teve que morrer e quanto tempo vai levar até que você perca o teto sobre sua cabeça, ter um enorme corpo aquecido pressionando a extensão da sua coluna é um conforto maravilhoso.

Ele conhece todos os comandos.

Uma noite, depois de um longo dia difícil — celular perdido, alunos apáticos, a tentativa fracassada de voltar a escrever —, Apolo se mexe, preparando-se para sair da cama, e me pego dizendo: *Fique.*

Alguns amigos, tenho notado, estão me evitando, e não posso deixar de pensar que, pelo menos em parte, estão com medo de que eu apareça na porta deles com Apolo e uma mala.

O amigo que é mais compreensivo com a minha situação me liga para perguntar como estou. Digo a ele que tenho tentado música e massagem para tratar a depressão de Apolo, e então ele me pergunta se já considerei um terapeuta. Digo a ele que sou cética em relação a psicólogos de animais, e ele diz: Não foi isso que eu quis dizer.

Fim do semestre. Digo à minha família que não posso viajar para passar o Natal com eles. Durante a pausa de um mês antes do retorno das aulas, dificilmente terei que me afastar de Apolo. Mesmo no tempo mais frio, saímos e passeamos bastante. Gostamos do frio. Gostamos da cidade no inverno. Mais espaço nas calçadas. Menos idiotas nos observando. E, quando a temperatura está congelante, Apolo é menos suscetível a parar para um de seus descansos.

Aviso final do escritório administrativo do prédio. A ideia de tentar falar com o senhorio me ocorre. Quem pode dizer que o homem é um imbecil sem coração, e não uma alma misericordiosa? Por que não pode acontecer um milagre natalino? No mínimo, eu poderia pedir a ele mais tempo.

Ligo para o administrador e peço o número do senhorio na Flórida.

Não divulgamos esse número, diz ele.

Doze escritores — seis homens e seis mulheres — posaram nus para um calendário de parede. O e-mail insiste que não devo perder esta oferta exclusiva: uma edição limitada de exemplares, assinados por todos os escritores, disponível para pré-venda.

O choque me faz recordar de um debate no qual alguém levantou o tópico da dignidade e seu lugar reduzido no mundo literário. Prestem atenção, você disse, em seguida virão fotos de autores nus. E de como você se sentou, o rosto inexpressivo, enquanto todos na sala riam.

Véspera de Ano-Novo. Fico em casa e vejo, não pela primeira vez, *A felicidade não se compra*. Não abro a garrafa de champanhe que uma aluna me enviou como agradecimento por eu ter escrito uma carta de recomendação para os mais de trinta programas de mestrado aos quais ela está se candidatando este ano.

O amigo que é mais compreensivo com a minha situação organiza uma intervenção. Na semana seguinte recebo uma enxurrada de telefonemas e mensagens de várias pessoas, algumas das quais eu não via há anos.

Elas não querem me ver perder minha casa. Querem que eu recupere o bom senso antes que seja tarde demais. Preciso lidar melhor com meus sentimentos de perda e culpa. Preciso de terapia de luto. Seguem alguns contatos. Eu deveria pensar em medicação. Eis o que funcionou para elas. Existem livros. Existem sites. Existem grupos de apoio. A cura não virá se você se retirar para um mundo de fantasia, isolando-se, passando todo o tempo com um cachorro. Existe um luto patológico. Existe o pensamento mágico do luto patológico, que é uma espécie de demência. Que na opinião coletiva delas é o que eu tenho.

Ofertas generosas de todos os tipos são feitas, embora ninguém se ofereça para ficar com o cachorro.

Então a Esposa Dois, entre todas as pessoas, diz exatamente isto: Tenho um netinho que adora cachorros. Ele vai ficar empolgado com um grande o suficiente para montar.

Isso teria resolvido tudo, diz a Esposa Um.

Digo que você nunca me perdoaria. E não é suspeito a Esposa Dois fazer tal oferta?

"O que quer dizer com isso? Achei que ela estivesse apenas tentando ajudar."

"Ajudar? Essa mulher que sempre me odiou quase tanto quanto odeia você. Eu nunca confiaria nela. Basta lembrar como foi o casamento deles: apenas raiva, amargura e ressentimento. Eu não deixaria Apolo em nenhum lugar perto dela."

As mulheres são perigosas, elas não param por nada e nunca se esquecem.

A Esposa Um acha que estou sendo paranoica. Mas, na verdade, isso está longe de ser algo inédito: pessoas usando uma criança ou um animal de estimação indefeso para se vingar de alguém.

Você nunca me perdoaria.

"Então o que vai fazer? Você não pode simplesmente ficar sentada esperando por um milagre."

Mas é isso o que estou esperando.

Eis um conselho frequentemente dado a escritores: leia seus rascunhos em voz alta. Um conselho que normalmente tenho preguiça de seguir. Mas vou tentar qualquer coisa para continuar mais tempo na minha mesa. Pego as páginas que acabei de imprimir e começo a ler. Atrás de mim, ouço Apolo, que dormia atrás do sofá, levantando-se. Ele trota até a mesa (ficamos cara a cara quando estou sentada) e olha para mim como se eu estivesse fazendo algo notável. Ou talvez ele, embora já tenhamos passeado bastante hoje, queira sair de novo.

Quando chego ao fim da página, paro, pensando. Apolo me cutuca com o focinho. Ele late, muito baixo, apenas uma vez. Dá um passo para a frente, um passo para a direita, um passo para trás, o tempo todo balançando a cabeça de um lado para o outro: sua maneira de dizer "Que merda é essa que você está fazendo?".

Ele quer que eu continue lendo! Se isso é verdade ou não, é o que faço. Mas logo paro.

Leia as frases em voz alta, siga o conselho, e você ouvirá o que não parece certo, o que não funciona. Eu ouço e ouço. O que não parece certo, o que não funciona. *Eu ouço.*

Não é diferente de quando leio as frases para mim mesma.

Dobro os braços sobre a mesa e escondo o rosto neles.

Cutucada. *Au.* Viro a cabeça. O olhar de Apolo é profundo, suas orelhas desiguais parecem afiadas como navalhas. Ele lambe meu rosto e pratica aquela dança novamente. Abana o rabo, e, pela milésima vez, penso em quão frustrante deve ser para um cachorro: o problema eterno de se fazer entender por um humano.

Vou da cadeira para o sofá, Apolo observando, a testa enrugada. Quando me acomodo, ele se aproxima e senta na minha frente. Olho a olho. O que os cães pensam quando veem alguém chorar? Criados para serem consoladores, eles nos confortam. Mas quão intrigante deve ser a infelicidade humana para eles. Nós, que podemos encher o prato a qualquer momento e com a quantidade de comida que quisermos, que podemos sair quando desejarmos e correr livremente — nós que não temos um dono que precisa ser constantemente satisfeito ou obedecido — Que merda é essa que você está fazendo?

Da pilha de livros sobre a mesa de centro, pego *Cartas a um jovem poeta*, de Rilke, que faz parte da bibliografia obrigatória de um dos meus cursos. Eu o abro e começo a ler em voz alta. Depois de algumas páginas, Apolo simula o sorriso de boca entreaberta, do tipo visto o tempo todo na cara de outros cachorros, mas com uma infrequência preocupante na dele. À medida que continuo a ler, ele se abaixa no chão, deitando-se nos meus pés e pressionando meus tornozelos. Ele relaxa a cabeça nas patas, virando os olhos para mim toda vez que viro a página. A posição de suas orelhas muda em resposta à minha entonação. Isso me faz lembrar do meu coelho de estimação inclinado para o alto-falante estéreo. Mas Apolo nunca se aproximou para apreciar a música que eu colocava para ele, nunca se acalmou — nem com a música, nem com a massagem — da maneira como parece estar relaxado agora.

Então continuei a ler — com tanta clareza e expressão quanto eu leria para alguém que pudesse entender cada palavra. E também acho reconfortante: a prosa lírica na minha boca, o peso quente e gentil nas minhas pernas e nos meus pés.

Conheço bem esse pequeno livro: dez cartas endereçadas a um aluno que escreveu a Rilke para pedir conselhos quando o autor tinha apenas vinte e sete anos. A carta oito contém sua famosa visão do mito da Bela e da Fera: *Talvez todos os dragões de nossa vida sejam princesas que aguardam apenas o momento de nos ver um dia belos e corajosos. Talvez todo horror, em última análise, não passe de um desamparo que implora o nosso auxílio.* Palavras muitas vezes citadas, ou parafraseadas, inclusive recentemente na epígrafe do filme *Deus branco*: Tudo que é terrível precisa do nosso amor.

Cuidado com a ironia, ignore o criticismo, baseie-se no que é simples, estude as coisas pequenas e humildes do mundo, faça o que é difícil precisamente porque é difícil, não procure respostas, mas ame as perguntas, não fuja da tristeza ou da depressão porque elas podem ser as condições necessárias para o seu trabalho. Procure a solidão, acima de tudo busque a solidão.

Li os conselhos de Rilke tantas vezes que os conheço de cor.

Quando li as cartas pela primeira vez — mais ou menos com a idade que Rilke tinha quando as escreveu —, senti que haviam sido escritas tanto para mim como para o destinatário, que todos aqueles conselhos maravilhosos eram para qualquer um que desejasse se tornar escritor.

Mas agora, embora a escrita me pareça mais bonita do que nunca, não consigo ler o livro sem certo desconforto. Não posso esquecer meus alunos, que não sentem nada do que o Jovem Poeta deve ter sentido quando recebeu as cartas na primeira década do século passado. Eles não sentem o que nós sentimos quando você pediu que lêssemos o livro, três quartos de século mais tarde, junto com o romance autobiográfico de Rilke, *Os cadernos de Malte Laurids Brigge*. Eles não sentem que Rilke está falando com eles. Ao contrário: eles o acusam de excluí-los. Dizem que é mentira que escrever é uma religião que exige a devoção de um sacerdote. Dizem que isso é ridículo.

Quando conto a eles sobre o mito em torno da morte de Rilke, segundo o qual o início de sua doença fatal se deu depois que ele feriu a mão no espinho de uma rosa — aquela flor que o obcecou e era um símbolo tão significativo em seu trabalho —, resmungam, e um deles não consegue parar de rir.

Houve um tempo em que jovens escritores — pelo menos os que conhecíamos — acreditavam que o mundo de Rilke era eterno. Concordo com meus alunos que aquele mundo desapareceu. Mas, na idade deles, não me ocorria que ele *pudesse* desaparecer, e muito menos da minha vida.

Nada provoca mais ansiedade do que o reconhecimento de Rilke de que uma pessoa que sente que pode viver sem escrever não deveria escrever. *Devo* escrever? é a pergunta que ele ordena que o aluno faça a si mesmo *na hora mais silenciosa da noite*. Se você fosse proibido de escrever, você morreria? (Palavras levadas a sério por Lady Gaga, ou ao menos pelo bíceps dela, onde ela as tem tatuadas no idioma original do autor, o alemão.)

É preciso amar-nos uns aos outros ou morreremos é como outro poeta terminou uma estrofe do que viria a ser um dos poemas mais famosos do mundo. Mas o autor de "1º de setembro de 1939" passou a desprezar esse poema e ficou tão incomodado com a óbvia falsidade daquele verso em particular que, antes de autorizar que ele fosse reimpresso em uma antologia, insistiu para que fosse revisado: Precisamos amar-nos uns aos outros *e* morrer. E mais tarde, ainda inquieto, apesar da correção, ele renunciou ao poema — corrompido de maneira irremediável, na percepção dele — inteiramente.

Penso nessa história sobre Auden.

Penso em como houve uma época em que você e eu acreditávamos que escrever era a melhor coisa que poderíamos fazer na vida. (*A melhor vocação do mundo*. Natalia Ginzburg.)

Penso em como você começou a dizer a seus alunos que, se houvesse outra coisa que eles pudessem fazer na vida em vez de se tornarem escritores, qualquer outra profissão, deveriam optar por ela.

Foi perto desta mesma época no ano passado: eu estava limpando armários. De uma prateleira de cima, peguei caixas com fotografias, recortes de jornais e uns papéis, entre eles suas antigas cartas. Eu tinha esquecido quantas havia, daqueles tempos antes dos e-mails.

Parece que eu pedia conselhos com frequência.

Você quer saber o que escrever. Você tem medo de que aquilo que escrever seja trivial ou apenas outra versão de algo que já tenha sido escrito. Mas lembre-se, há pelo menos um livro em você que não pode ser escrito por mais ninguém. Meu conselho é cave fundo e o encontre.

Ele também deixou um rastro de mulheres chorosas. Mas, dos dois tipos de mulherengo, ele era definitivamente do tipo que ama as mulheres. Era apenas com elas, disse Rilke, que ele podia conversar. Apenas mulheres, as quais ele poderia entender e delas ficar perto (contanto que não precisasse ficar perto por muito tempo). E poucos homens encontraram tantas mulheres dispostas a amá-los, protegê-los e perdoá-los.

Mais uma vez me deparo com a famosa definição de amor de Rilke: *duas solidões que se protegem, se complementam, se limitam e se inclinam para a outra.*

Afinal, o que isso quer dizer?, escreve uma aluna no trabalho de conclusão de curso. São apenas *palavras*. Não têm nada a ver com a *vida real*, que é onde o amor *realmente ocorre*.

O tom exasperado e hostil tantas vezes encontrado nos trabalhos dos alunos.

Na vida real, ele não podia ser um marido para sua esposa, a quem abandonou cerca de um ano após o casamento. Não podia ser um pai para sua filha. Rilke, que encontrou tanta riqueza e significado na experiência da infância e que escreveu tantas belas palavras sobre crianças, negligenciou a filha única. O que não a impediu de dedicar a vida à obra e à memória dele. Então, aos setenta e um anos, ela se matou.

Rilke, que amava cachorros, que os observava atentamente, que compartilhava com eles uma comunhão sem limites. Que uma vez encontrou no olhar implorante de uma vira-lata feiosa e demasiadamente prenhe na saída de um café na Espanha *tudo o que perscruta além da alma solitária e vai para só Deus sabe onde — para o futuro ou para aquilo que ultrapassa o entendimento.* Alimentou-a com o torrão de açúcar do seu café, o que, ele escreveu mais tarde, foi como comungar juntos.

Rilke, em cuja obra Apolo é uma figura recorrente.

O livro é curto, pode ser lido em voz alta em cerca de duas horas. Mas logo Apolo caiu no sono, como uma criança em cuja cabeceira a mãe lê e espera justamente por esse momento para sair na ponta dos pés. Não vou a nenhum lugar na ponta dos pés. Presos sob o peso dele, meus pés ficaram dormentes. Eu os movimento, e ele acorda. Sem se levantar, ele procura minha mão, ainda segurando o pequeno livro, e o lambe.

Agora estamos os dois em pé, indo para a cozinha. Sirvo a ele um pouco de ração — essa é a hora — e, enquanto ele come, eu me preparo para levá-lo para passear.

Eu poderia ter descartado o incidente como sendo algo da minha fantasia antropomórfica, mas no dia seguinte isto acontece: Estou sentada no sofá com meu *laptop* quando Apolo aparece e começa a farejar os livros da mesa de centro. Suas mandíbulas gigantescas se abrem e fecham em torno do novo exemplar do livro de Knausgård que comprei para substituir o que ele havia destruído. Ah, de *novo* não! Mas, antes que eu possa pegá-lo, ele delicadamente coloca o livro do meu lado.

Já ouvi falar de cães terapeutas, claro. Cães treinados para trabalhar em hospitais, lares de idosos, áreas de desastres e locais afins com o propósito de levar conforto e ânimo, na esperança de aliviar qualquer sofrimento que os humanos possam estar enfrentando. Sei que esses cães existem há muito tempo e que agora são bastante usados para ajudar crianças com dificuldades emocionais ou de aprendizado. Para melhorar as habilidades de fala e alfabetização, crianças estão sendo incentivadas em escolas e bibliotecas a ler em voz alta para cães. Resultados excelentes têm sido relatados, em que as crianças que leem para os cães estão progredindo significativamente em relação às que leem para outras pessoas. Muitos dos ouvintes parecem se divertir, mostrando sinais de alerta e curiosidade. Mas uma análise de todos os benefícios aos cães por terem humanos lendo para eles não é algo que aparece na minha pesquisa.

Alguém lia para Apolo, tal ideia me ocorre. Não que eu ache que ele tenha recebido um treinamento para ser terapeuta certificado. (Um animal tão valioso acabaria abandonado?) Mas acredito que alguém deva ter lido em voz alta para ele — ou, se não *para* ele, pelo menos enquanto estava presente — e que a experiência lhe traga lembranças felizes. Talvez quem fizesse a leitura fosse alguém que ele amava. (Era você? Não é do conhecimento dela, diz a Esposa Três. Nunca na presença dela, de toda maneira.) Ou talvez, embora não fosse um cão terapeuta profissional, esperava-se que Apolo ajudasse alguém, ouvindo aquela pessoa ler, responsabilidade que ele levou a sério e pela qual foi elogiado e recompensado. É da natureza de muitos cães realizar algum tipo de trabalho, dizem os manuais de treinamento (*com a atribuição de uma tarefa, cães que mostram sinais de aborrecimento ou depressão muitas vezes se animam*), mas as pessoas quase nunca lhes dão o suficiente — se é que dão alguma coisa — para fazer.

Ou talvez Apolo seja um gênio canino que compreendeu algo sobre mim e os livros. Talvez ele entenda que, quando não estou me sentindo tão bem, envolver-me com a leitura de um livro é a melhor coisa que eu posso fazer. Talvez isso seja algo que seu olfato fenomenal lhe revela. Se, como mostram os estudos, o focinho de um cachorro é capaz de detectar câncer, não seria nenhuma surpresa se também pudesse detectar mudanças causadas pelo alívio do estresse ou pela experiência de estimulação mental ou de prazer. Se alguns cães podem prever convulsões em pessoas, como sabemos que já ocorreu, quão estranho seria prever um estado iminente de depressão?

De fato, quanto mais convivo com Apolo, mais me convenço de que o Veterinário Rabugento estava certo: nós, humanos, não sabemos nem a metade a respeito do funcionamento do cérebro dos cães. Eles bem podem, de maneira silenciosa e incompreensível, nos conhecer melhor do que os conhecemos. Em todo caso, a imagem é irresistível: uma avalanche de desespero e, assim como um são-bernardo que desponta na neve com um minibarril de conhaque, Apolo oferece um livro.

Ainda que saibamos que um são-bernardo nunca fez isso.

Houve uma época em que seria mais lógico para mim se a leitura das cartas de Rilke a um jovem poeta para um cachorro fosse um indício de desequilíbrio mental.

Decido tornar a leitura em voz alta parte da nossa rotina. Sabendo como isso pode ser interpretado pelos outros, não conto a ninguém. Aliás, há muitas coisas nestas páginas que nunca contei a ninguém.

É curioso como o ato de escrever nos induz à confissão.

Não que ele também não nos induza a mentir sem parar.

Assim como Rilke, Flannery O'Connor redigiu uma série de cartas para uma estranha que um dia, do nada, escreveu para ela. Na coletânea das cartas de O'Connor publicadas após a morte dela, essa correspondente em particular, que pediu para permanecer anônima, chama-se A. Com trinta e dois anos, ela é dois anos mais velha que O'Connor, que mesmo assim mais do que assume o papel de mentora. As cartas a A., escritas ao longo de um período de nove anos, estão repletas de pensamentos sobre literatura e religião e sobre o que significa ser escritora e católica praticante. Ela fala livremente sobre sua escrita de ficção, e, quando A. lhe envia alguns textos de ficção de autoria própria, a resposta é encorajadora. A. tem o dom de escrever histórias, diz O'Connor, julgando que uma delas em particular é "quase perfeita". Quando A. parece estar sofrendo de um bloqueio, O'Connor não tarda a culpar o diabo. Para a católica devotada O'Connor, o diabo não é uma metáfora.

Ainda que com o passar do tempo as duas mulheres combinem encontros, elas não se veem com frequência. Enquanto isso, no papel, a amizade delas prospera, aproximando-as o suficiente para O'Connor chamar A. de "parente adotiva". Extasiada quando A. decide entrar para a Igreja, concorda em ser madrinha de crisma dela.

Mas, no final, o diabo venceu. A. perde sua fé. Abandona a Igreja. Embora produza trabalhos em vários gêneros, ela nada publica. Aos setenta e cinco anos, trinta e quatro anos após a morte de O'Connor (aos trinta e nove anos, em decorrência de complicações do lúpus), Hazel Elizabeth Hester, conhecida como Betty Hester, atira em si mesma.

Se O'Connor tivesse sido minha mentora, se ela tivesse escrito para mim, eu poderia ter perguntado a ela o seguinte: O que exatamente Simone Weil quis dizer quando afirmou: Quando você tem que tomar uma decisão na vida sobre o que fazer, faça o que lhe custará mais.

Faça o que é difícil porque é difícil. Faça o que lhe custará mais. Quem *eram* essas pessoas?

Se escrever *não fosse* doloroso, O'Connor diz, não valeria a pena.

Voltemos então para Virginia Woolf, que disse que exprimir sentimentos em palavras *diminui a dor*. Fazer uma cena dar certo, fazer um personagem funcionar: não havia prazer maior, ela disse.

Primeira reunião do semestre do corpo docente. Os alunos devem ter permissão para ler no celular os livros da bibliografia obrigatória. A maioria é firme: em outros dispositivos eletrônicos, tudo bem, mas, pelo amor de Deus, no celular, não. Mas onde está a lógica disso, argumenta Esgotada, se estamos falando do tamanho da tela? Não seria o mesmo que dizer que eles não podem ler livros de bolso? Não, é diferente, a maioria concorda. Embora quinze minutos depois ninguém tenha conseguido explicar exatamente como é diferente.

Horário de orientação aos alunos. O aluno A está frustrado porque o curso exige muita leitura: Não quero ler o que outras pessoas escrevem, quero que as pessoas leiam o que escrevo. O aluno B está preocupado com o fato de grande parte da bibliografia obrigatória incluir livros que não foram sucesso de vendas ou que estão esgotados. Não deveríamos estudar escritores bem-sucedidos?

Acontece com bastante frequência: Ouvi de uma ex-aluna que ela teve um bebê. O livro no qual trabalhava teve que ser deixado de lado. Talvez, quando a criança estiver um pouco mais velha, ela o retome, diz. E então, quando a criança estiver um pouco mais velha — com cerca de dois anos, em geral —, a aluna terá outro bebê.

Eles continuam chegando. Anúncios de oportunidades para estudar escrita criativa com alguma outra atividade envolvida. Você pode escrever e desfrutar de comida *gourmet*, escrever e degustar vinhos, escrever e escalar montanhas, escrever e fazer um cruzeiro, escrever e perder peso, escrever e abandonar o vício, escrever e aprender a tricotar, cozinhar, assar pães, falar francês ou italiano etc. Hoje, recebo a propaganda de um festival literário: *Quem disse que escrever e relaxar não combinam? Aproveite o refúgio perfeito: oficinas de escrita criativa durante um retiro no* spa. (Contos de pé e mão, graceja Esgotada.)

Na livraria. O romance mais recente de um amigo, publicado no ano passado, teve nova edição. Fico envergonhada ao perceber que não apenas não li o livro, mas que também me esqueci dele.

No oftalmologista. Uma mulher de meia-idade com cabelos negros tingidos, o tom exato de sua jaqueta de couro, entra na sala de espera. Tenho um sentimento familiar sobre ela e quase grito Arrá! quando vejo o logotipo da *New York Review of Books* estampado na sacola que carrega. Senta-se e abre uma edição da *London Review of Books*.

Piada acadêmica interna: Professor A: Você leu esse livro? Professor B: Se eu li? Eu nem sequer dei aula sobre ele ainda.

No clube dos docentes. Uma professora e eu tomamos gim e nos divertimos especulando: no caso de um tiroteio na faculdade, por quais dos nossos alunos levaríamos ou não um tiro.

Algumas vezes em um *banner*, outras em uma janela do lado direito ou, me esperando, uma surpresa revelada à medida que rolo a tela: James Patterson. James Patterson, o autor mais vendido no mundo, que ocupou consecutivamente mais de vinte vezes o primeiro lugar da lista de *best-sellers* do *New York Times*. Que, aparentemente de uma modéstia tão vasta quanto o seu êxito, acredita que um sucesso igual seja fácil de alcançar por, bem, qualquer um. Ou pelo menos por qualquer pessoa que tenha noventa dólares para pagar as vinte e duas lições em vídeo mais os exercícios que ele oferece com trinta dias de garantia e devolução do dinheiro. *Pare de ler isto e comece a escrever.* James Patterson, um dos autores mais ricos do mundo, com um patrimônio líquido de setecentos milhões de dólares (agora, provavelmente mais). *Concentre-se na história, e não na frase.* A foto dele: um homem idoso, simpático e descontraído. Um cara normal, usando óculos e um suéter azul-marinho. *Vença a página em branco!* Às vezes fotografado escrevendo em um bloco de notas (nunca em um computador). *O que você está esperando? Você também pode escrever um* best-seller. James Patterson. Sempre aparecendo, insistindo, persuadindo, prometendo o mundo. Como o diabo.

Você está de brincadeira?, diz um amigo que cria cabras em uma fazenda no norte do estado e produz *chèvre* premiado. Bloqueio de escritor foi a melhor coisa que me aconteceu.

O aniversário da sua morte. Não quero que ele passe em branco, mas também não sei bem o que fazer. Não pela primeira vez, procuro o vídeo de uma leitura sua e a assisto on-line. Nunca vi Apolo reagir a uma tela, e isso inclui a de televisão (seus olhos não parecem se concentrar em nenhuma imagem exibida, nem mesmo se for a de outro cachorro). Se eu o deixasse ouvir, acho que ele reconheceria sua voz. O que me impede de descobrir se ele o faria é o pensamento de que isso pode ser cruel. Ele agora pode ser meu cachorro (*meu cachorro!*), mas não creio que ele tenha esquecido você. O que o fato de ouvir sua voz poderia fazer com ele? Como ele entenderia? E se ele achasse que você está preso no computador?

Uma história sobre os filhos de Judy Garland vendo *O Mágico de Oz* pela primeira vez. Ela estava fora de casa, trabalhando no exterior, quando as crianças e a babá se sentaram para assistir ao filme na TV. Embora ela tivesse passado da idade na qual interpretara Dorothy (dezesseis anos), os filhos reconheceram a mãe. Então era lá que ela estava! Sendo levada por macacos voadores para uma bruxa! Em um estado emocional sobre o qual é melhor nem pensar, as crianças desataram a chorar.

Na agência dos correios. Uma jovem acompanhada por um vira-lata sarapintado entra na fila. Um funcionário atrás do balcão diz: Aqui não são permitidos cães, senhorita. Ele é um cão de serviço, afirma ela. Ele é um cão de serviço?, pergunta o funcionário. *Sim*, a jovem responde com tanta ferocidade que o funcionário reage com cautela. Eu estava apenas perguntando, senhorita. Quer dizer, não vejo nele nenhum distintivo ou identificação. O cliente na frente da moça se vira, olha para ela, olha para o vira-lata e volta para a posição original, balançando a cabeça. A jovem se endireita. Dirige a todos um olhar escaldante. Como ousam. Este cachorro é meu companheiro de apoio emocional. *Como ousam questionar o direito dele de estar aqui.*

E o que torna a cena estranha ainda mais estranha é que o cão não tem uma das pernas traseiras.

Observando Apolo dormir. A ascensão e queda pacífica da lateral do seu corpo. Sua barriga está cheia, e ele se encontra aquecido e seco, depois de caminhar seis quilômetros hoje. Como de costume, quando ele se abaixou na rua para fazer suas necessidades, eu o protegi dos carros que passavam. E, no parque, quando um corredor que digitava no celular se aproximou de nós, Apolo latiu e bloqueou o caminho dele, antes que pudesse me derrubar. Brinquei várias vezes de cabo de guerra com ele, falei com ele, cantei para ele e li poesia para ele. Aparei suas unhas e escovei cada centímetro do seu pelo. Agora, observando-o dormir, sinto uma onda de satisfação. Em seguida, outro sentimento mais profundo, singular e misterioso, mas ao mesmo tempo perfeitamente familiar. Não sei por que levo um minuto inteiro para nomeá-lo.

O que somos, Apolo e eu, senão duas solidões que se protegem, se complementam, se limitam e se inclinam uma para a outra?

É bom ter as coisas bem definidas. Com ou sem milagre, aconteça o que acontecer, nada vai nos separar.

Todo mundo que conheço está escrevendo um livro, o terapeuta desnecessariamente me diz. Conheço muitos autores e posso dizer que bloqueio de escritor é bastante comum.

Mas não estou lá para falar sobre bloqueio de escritor. Se eu não estivesse tão ansiosa para ir embora, explicaria isso a ele. Em geral, quando um escritor vê que outra pessoa acabou de publicar um artigo em uma publicação importante sobre o mesmo tema em que está trabalhando, ele desanima. Mas eu senti alívio. (Tudo bem, então, disse o editor, também parecendo aliviado: Acho que você se livrou de um problema.)

Para me encorajar a me abrir, o terapeuta pergunta o que fiz nos feriados de fim de ano. Após contar, ele diz delicadamente (ele diz tudo delicadamente): Parece que este é um dos aspectos afetados por sua perda: não querer estar com outras pessoas.

Odiar estar com outras pessoas, eu não digo, mas aterrorizada de estar com outras pessoas.

Mas a verdade é que, mesmo que eu não me preocupasse em deixar Apolo, eu queria ter passado as festas sozinha.

Vira-lata é como um escritor que li recentemente chama aqueles que, por uma razão ou outra, e apesar daquilo que tenham desejado quando jovens, nunca se encaixam, pelo menos não como a maioria das pessoas. Eles podem ter relacionamentos sérios, podem ter amigos, até mesmo um círculo considerável, podem passar grandes períodos de tempo na companhia de outros. Mas eles nunca se casam e nunca têm filhos. Nos feriados, eles se juntam a alguns familiares ou a outro grupo. Isso acontece ano após ano, até que finalmente percebem que preferem simplesmente ficar em casa.

Mas você deve ver muitas pessoas assim, digo ao terapeuta.

Na realidade, ele diz, não vejo.

Um momento aqui para recuperar algo do passado. Por dois anos, quando eu cursava a faculdade, fiz um bico trabalhando para uma terapeuta de casais. O trabalho consistia em transcrever as sessões. Isso não era para ajudar no tratamento dos clientes, mas para um livro que a terapeuta planejava escrever. Os casais eram em sua maioria de meia-idade, e todos eram casados. (A terapeuta não gostava do termo *conselheira matrimonial*, dizia que estava fora de moda.)

Ouvir as fitas era muitas vezes deprimente. Lembro-me de pensar em como a terapeuta podia suportar seu trabalho, especialmente depois que eu soube que, em um grande número de casos, os casais não conseguiam, nem mesmo com a terapia, reconciliar suas diferenças e acabavam se divorciando. Mas esse às vezes era o objetivo, disse a terapeuta: ajudar duas pessoas a se libertar.

A terapeuta era incrivelmente glamorosa, magra e alta, vestida sempre de maneira atraente (botas de salto agulha, vestido colado no corpo), e aos quarenta anos já tinha dois divórcios nas costas. Tanto quanto eu sabia, seus clientes não conheciam nada da vida particular dela, mas sempre me perguntei se seu histórico conjugal não teria feito, ao menos alguns deles, pararem para pensar se deviam continuar com as sessões. E lembro-me de refletir que, seja lá o que Tolstói tivesse a dizer sobre as famílias infelizes, os casais infelizes eram infelizes da mesma maneira.

Quase todos os maridos foram pegos traindo ou eram suspeitos de trair. (Mais de uma vez, durante uma sessão, algum homem delatou suas infidelidades, e foi também durante uma sessão que um homem confessou à esposa que estava apaixonado por... outro homem.)

Em geral, as mulheres se queixavam de sentirem-se indesejadas, subvalorizadas e — o pior de tudo, ao que parece — de não serem ouvidas.

Os homens as viam como uma versão da esposa do conto "O pescador e sua mulher", dos Irmãos Grimm: sempre reclamando, nunca satisfeitas.

Cada vez mais, fiquei impressionada com a evidência de que, para marido e mulher, uma palavra nem sempre tem o mesmo significado. As mesmas palavras apareciam o tempo todo, e eu as digitava: *amor*, *sexo*, *casamento*, *ouvir*, *precisar*, *ajudar*, *apoiar*, *confiar*, *se equiparar*, *justo*, *respeito*, *cuidar*, *compartilhar*, *querer*, *dinheiro*, *trabalho*. Eu digitava as palavras, ouvia a conversa do casal e podia dizer que a mesma palavra significava uma coisa para ele e outra para ela. Ouvi vários homens se oporem ao uso da palavra *adultério* para a definição de dormir com alguém fora do casamento. O adultério é quando você faz disso um hábito, insistiu um deles. Ele não me ajuda, disse uma esposa. E quando o marido listou as tarefas que fizera apenas na semana anterior: Eu disse *ajuda*!, ela gritou. Eu disse *ajuda*!

Outra coisa que entendi ouvindo todas aquelas sessões: a terapeuta mudava um pouco a voz dependendo de a qual dos dois ela se dirigia. Sempre sutil, mas sempre presente, uma diferença no tom, algo difícil de descrever. Talvez isso estivesse na minha cabeça. Mas, se eu tivesse que afirmar, diria que ela estava mais do lado dos homens.

Eu devia saber que o terapeuta ia querer que eu ficasse a hora inteira. Quando conto que deixei Apolo amarrado lá fora, ele diz: Da próxima vez, por que não o traz para cá?

Próxima vez?

Era esse o acordo. O terapeuta me dava o que eu queria, e, em troca, eu retornava.

Pelo menos por mais algumas sessões, ele diz.

Sentada no consultório do terapeuta, com Apolo ao meu lado, não posso evitar de sorrir. É como se estivéssemos em uma terapia de casal.

Exceto pelo fato de que nós nos damos bem.

Certa vez, uma mulher que passava por nós na rua me veio com a seguinte tirada: é melhor ter um cachorro marido do que um marido cachorro, é o que digo sempre.

Sempre?

Quando eu tinha vinte e poucos anos, ao passear com Beau, às vezes ouvia comentários obscenos de homens. O cachorro é o seu macho? Você dorme com ele? Você transa com o cachorro, gata? Aposto que você deixa ele te comer.

Acho desconcertante quando outra mulher na rua chama Apolo de sexy e me diz que está com inveja. Você é uma mulher de sorte, ela diz.

Quando o certificado chega, eu o abro na frente de Apolo antes de prendê-lo com um ímã na porta da geladeira.

Você se dá conta, diz a Esposa Um, de que está cometendo uma fraude. Mesmo que seja por uma boa causa.

Estou ciente da revolta justa daqueles que de fato necessitam de apoio animal que é direcionada para o número cada vez maior de pessoas que fazem seus animais de estimação comuns — e, em alguns casos, exóticos — se passarem por animais de serviço. Ouvi falar do gambá no dormitório da faculdade, da iguana no restaurante, do porco no avião. Prometo que não levarei Apolo aonde normalmente a presença dele não é permitida. Depois de fazer uma cópia do certificado para encaminhar ao administrador do prédio, deixarei em casa o crachá do Registro de Animais de Serviço.

Quanto ao terapeuta, ele não teve reservas em emitir um laudo atestando que eu sofria de depressão e ansiedade agravadas pelo luto, que o cão estava me oferecendo apoio emocional essencial e que a perda dele poderia causar danos à minha saúde mental e, até mesmo, ser uma ameaça à minha vida.

A Esposa Um acha isso engraçado: Porque, nesse caso, é o animal que não consegue lidar com o luto, e você é o suporte emocional humano dele.

Agora sou forçada a falar. Mesmo que seja para explicar por que não quero falar. Continua sendo verdade: Não quero falar de você nem ouvir os outros falarem de você.

Quero citar Wittgenstein sobre o indizível e a necessidade de silêncio. Mesmo que citar filósofos fora de contexto seja algo que você nos disse para não fazer. Afirmações filosóficas não são *ditos antigos*, você disse.

Uma pausa aqui para pensar em Wittgenstein, de quem três dos quatro irmãos se mataram e que muitas vezes pensava em se matar também. Que, como Kafka, teria recebido a notícia da doença terminal com alívio, mas cujas palavras na hora da morte me lembram o personagem George Bailey: Diga a eles que tive uma vida maravilhosa!

O terapeuta pergunta se eu converso com Apolo. Bem, sim. Para incentivar a conexão, recomenda-se que as pessoas falem com seus cães. O que parece natural (embora meu palpite seja que as pessoas fazem isso cada vez menos, por causa dos dispositivos eletrônicos que roubam a nossa atenção).

Certa vez ouvi uma estranha tendo uma conversa agitada com seu pug: E suponho então que tudo novamente seja *minha* culpa, não é? Ao que, eu juro, o cachorro revirou os olhos.

Sim, converso com Apolo. Mas não sobre você. E o negócio é o seguinte: Eu não preciso dizer a *ele*. (*Os cachorros são os melhores enlutados do mundo, como todos sabem*. Joy Williams.)

E só porque existem outras pessoas que perderam alguém para o suicídio não significa que o que estou sentindo possa ser compartilhado. Uma vez fiquei ouvindo um programa de rádio cujo tema era luto por suicidas. Ouvintes foram convocados para ligar e comentar. Todas as pedras, escritas com as palavras que em geral definem o suicida, foram atiradas: pecador, rancoroso, covarde, vingativo, irresponsável. Doente. Ninguém duvidou de que o errado era o suicida. O direito de cometer suicídio simplesmente não existia. Monstros de egoísmo e autopiedade, suicidas eram isso. Ingratos com o precioso dom da vida. E, embora devessem odiar a si mesmos, também desejavam destruir tanto a família quanto os amigos que deixavam.

Nada daquilo me foi útil.

Também não me foram úteis os cerca de doze livros sobre suicídio que li no ano passado. Mas aprendi algumas coisas interessantes. Por exemplo, certos sábios antigos defendiam que a morte voluntária, embora em geral fosse condenada, poderia ser moralmente aceitável, e até mesmo honrosa, como fuga da dor, da melancolia ou da desgraça insuportável — ou então do bom e velho tédio. Aprendi que os pensadores posteriores sugeriram que, apesar da absoluta proibição do Cristianismo quanto a cometer suicídio (embora em nenhuma parte da Bíblia exista alguma condenação explícita a ele), pode-se dizer que o próprio Cristo fez exatamente isso. Que nos países ocidentais o volume de bilhetes suicidas atingiu o pico durante o século XVIII, quando eles em geral eram publicados, ao lado de outros anúncios, nos jornais.

E esta pérola: Escrever na primeira pessoa é um conhecido sinal de risco de suicídio.

O que me foi útil: as palavras de uma mulher que conheci há alguns anos, quando trabalhamos na mesma revista. Do nada, quando ela e o marido eram jovens e recém-casados, ele a deixou viúva. Um dia estávamos planejando nosso futuro, ela disse, no outro ele se foi. A princípio, pensei que eu devia a ele fazer o possível para tentar entender. Mas então passei a acreditar que aquilo estava errado. Ele escolhera o silêncio. A morte dele foi um mistério. Por fim, decidi que devia deixá-lo no silêncio dele. No mistério dele.

Falo sobre o meu sentimento de viver com um pé na loucura, as distorções da realidade, o nevoeiro que me envolve em certos momentos, inquietante como amnésia. (O que estou fazendo nesta sala de aula? Por que, *nesse* espelho, meu rosto parece tão estranho? *Eu* escrevi aquilo? O que eu queria dizer?)

Falo sobre como, não importa quanto eu durma, estou sempre exausta. Sobre o número de vezes que esbarrei em algo, ou larguei alguma coisa, ou tropecei nos meus próprios pés. Pisei em falso no meio-fio perto de um carro que passava, o qual teria me atingido se alguém não tivesse me puxado. Sobre os dias em que não como, os dias em que não como nada além de bobagens. Sobre medos absurdos: E se houver um vazamento de gás e o prédio explodir? Sobre perder objetos ou os guardar no lugar errado. Sobre esquecer de pagar os impostos.

Esses são todos os sintomas do luto, o terapeuta desnecessariamente me diz. Doutor Óbvio.

Mas você sabe, Apolo, digo na quarta ou quinta sessão, acho que estou realmente começando a me sentir um pouco melhor.

○⌘○

Outra coisa sobre Wittgenstein. De acordo com o físico Freeman Dyson, que assistiu às palestras de Wittgenstein em Cambridge, em 1946, se uma mulher se atrevesse a aparecer na sala de aula, ele permaneceria em silêncio até ela entender a mensagem e ir embora.

Eu fico mais burro a cada dia, Dyson certa vez ouviu o filósofo murmurar repetidamente em voz baixa.

Em relação às mulheres, sem dúvida.

Tentado a botar muita fé na grande mente masculina, lembre-se do seguinte: Olhou para os gatos e declarou-os deuses. Olhou para as mulheres e perguntou: Elas são humanas? E, depois que esse dificílimo problema havia sido solucionado: Mas elas têm alma?

Não é que eu não possa dizer como me sinto. É muito simples. Eu sinto a sua falta. Eu sinto a sua falta todos os dias. Eu sinto muito a sua falta.

Outra pausa, dessa vez para imaginar o que *Wittgenstein* quis dizer com "uma vida maravilhosa"?

E para sentir pena da irmã dele, Gretl: três irmãos *e* um marido que cometeram suicídio.

Conto ao terapeuta sobre aqueles momentos estranhos, depois que ouvi a notícia pela primeira vez, quando acreditei que tivesse havido um erro. Você foi embora, mas não está morto. Era mais como se estivesse desaparecido. Como se tivesse decidido nos pregar uma peça de mau gosto. Você estava desaparecido, não morto. Quer dizer que você poderia voltar. Que você poderia voltar, e, se pudesse voltar, é claro que voltaria. Semelhante àquele breve período há alguns anos quando eu acreditava que era apenas estresse, ou fadiga, ou alguma fase estranha que eu estava enfrentando, e, assim que o problema, fosse ele o que fosse, tivesse passado, minha aparência se restabeleceria.

Mais tarde, encontrei-me muitas vezes recordando a cena final do filme *Houdini, o homem miraculoso.* Estou me referindo à versão dos anos 1950, com Tony Curtis, que vi na TV quando adolescente. Houdini, que se tornou mundialmente famoso por suas escapadas espetaculares, morre ao tentar sair do tanque de água em que foi submerso de cabeça para baixo com os pés presos na tampa. O nome do truque é Cela Chinesa de Tortura Aquática, do qual ele conseguiu sair anteriormente. Dessa vez, porém, e sem o conhecimento dos espectadores, ele está fraco e com dor por causa do apêndice supurado.

Quando está morrendo, o grande ilusionista promete à esposa: Se houver alguma maneira, voltarei.

Isso me deu arrepios e ainda tem o poder de me comover.

Mesmo que eu saiba que o verdadeiro Houdini morreu em uma cama de hospital e que suas últimas palavras foram: *Estou cansado de lutar.*

Arrasto outra memória. Dessa vez sou muito mais jovem: uma criança. Festa de aniversário na casa de um amigo, uma grande construção vitoriana cinza-ardósia, para mim um castelo assustador. Esconde-esconde. Eu sou o "pegue". Termino de contar e abro os olhos. É inverno, fim de tarde, e todas as luzes foram apagadas para a brincadeira. Apenas alguns minutos antes alegre e barulhenta, a casa agora é um mausoléu.

Disseram-me depois que as primeiras crianças que deixaram os respectivos esconderijos me encontraram deitada de bruços no carpete.

Muita excitação, muito sorvete e bolo: os adultos entenderam errado, a maneira como os adultos sempre interpretam errado os problemas das crianças. E eu, com medo até os ossos e sem palavras, nem tentei explicar para eles. Mas nunca esqueci. A frase *paralisada como uma morta* pode trazer tudo de volta em um piscar de olhos.

No ano anterior, meu avô havia desaparecido. Seguido pelo diretor da escola primária. Nada do que foi dito para explicar os desaparecimentos foi muito convincente. Mas havia algo sórdido envolvido, alguma coisa indescritível sobre a qual os lábios devem permanecer lacrados — isso estava claro.

O horror foi absorvido. Elas não estavam se escondendo, as outras crianças; elas se foram. Desapareceram na mesma escuridão, para nunca mais voltar. Apenas eu — *o "pegue"* — permaneci. Sozinha sozinha sozinha. O quarto flutuou diante dos meus olhos. Vomitei antes de desmaiar.

Lembrando agora que o sogro de Gretl Wittgenstein também tirou a própria vida.

Se eu sonho com você?

Descrevo, obedientemente, o sonho: Caminho pela neve profunda, lutando para alcançar alguém muito à frente: uma figura com um casaco escuro semelhante a uma lágrima triangular no vasto cobertor branco. Chamo seu nome. Você se vira, começa a fazer sinais com os braços. Mas eu não entendo. Você está me dizendo para me apressar ou pedindo que eu pare e retorne? A agonia da incerteza. Fim do sonho. Ou, eu digo (por alguma razão absurda me desculpando), pelo menos é tudo de que me lembro.

Falo sobre quando vejo você. Toda vez, fico aterrorizada. Mas por que quase sempre a pessoa que acho que é você não se parece com você na idade em que morreu, mas em outra fase da sua vida? Uma vez, no campus, quase grito de alegria ao ver alguém parecido com você na época em que nos conhecemos.

Admito sentir raivas súbitas. Caminhando em Midtown, no pico da hora do *rush*, com pessoas vindo de todas as direções, eu me vejo agitada, pronta para matar. Quem são essas malditas pessoas, e como isso pode ser justo, como é possível que todas elas, essas pessoas tão comuns, estejam vivas, enquanto *você*...

O terapeuta me interrompe para salientar que você fez uma escolha.

É verdade que sempre me esqueço disso. Porque muitas vezes me parece que não foi o que aconteceu, que não foi uma escolha nem um ato de livre-arbítrio, mas algum acidente esdrúxulo que o abateu, o que, suponho, não é impreciso, sendo o auto-homicídio indiscutivelmente contra a ordem natural das coisas.

Por que têm vida um cão, um cavalo, um rato, e tu já não respiras?, chora Rei Lear. *Tu* sendo a filha dele, Cordélia.

Às vezes, mal posso conter a raiva que sinto dos alunos. Como você pode ser estudante de inglês e não saber que não se coloca ponto-final depois de ponto de interrogação? Por que nem mesmo os alunos de pós-graduação sabem a diferença entre um romance e um livro de memórias e por que continuam se referindo a livros completos como "textos"?

Quero bater na aluna cuja desculpa para não fazer a leitura das cinquenta páginas da semana é que fora convocada para um serviço de júri.

Apago sem responder o questionário de alguém que está pensando em assistir às minhas aulas. (Número um: *Você está excessivamente preocupada com coisas como pontuação e gramática?*)

Toda essa raiva, diz o terapeuta. Mas nenhuma dirigida a *você*. Sem raiva, sem culpa. É porque eu acho que o suicídio pode ser justificável?

Platão achava que sim. Sêneca achava que sim.

Mas o que *eu* acho? Por que eu acho que você fez isso?

Porque você estava preso de cabeça para baixo em um tanque cheio de água.

Porque você estava fraco e com dor.

Porque você estava cansado de lutar.

Certa feita, passei a maior parte da sessão sem dizer nada. Cada vez que começava a falar, eu desabava. Após algumas tentativas, desisti e fiquei lá sentada soluçando até a hora de ir embora.

Eu queria falar sobre o tempo em que você e eu nos encontramos em Berlim. Eu estava morando lá naquele ano, tinha uma bolsa de estudos. Você ficaria uns dias na cidade: a tradução alemã do seu livro mais recente acabara de ser publicada. Passamos então um longo fim de semana juntos.

Você queria visitar o túmulo do escritor Heinrich von Kleist, o mesmo lugar onde, em 1811, aos trinta e quatro anos, ele se matou. Eu conhecia a história. Como Kleist, que sofreu de desespero a vida toda, quis por muito tempo morrer. Mas não sozinho. A ideia de um pacto suicida sempre o excitou. Sua amante dos sonhos: uma mulher cujo desejo fosse morrer com ele.

Henriette Vogel não foi a primeira mulher que ele abordou, mas foi quem, diagnosticada com câncer terminal aos trinta e um anos, aceitou, com entusiasmo, a proposta de um assassinato-suicídio romântico.

Depois de atirar no lado esquerdo do peito dela, Kleist se suicidou com um tiro na boca. Trabalho de homem.

Ambos pareciam ter a expectativa de que seria uma experiência orgástica.

Uma testemunha relatou tê-los visto jantando na noite anterior, descontraídos e de bom humor. E, embora os dois fossem cristãos, também pareciam ter a expectativa de que a morte os transportaria para um mundo melhor, uma eternidade de bem-aventurança entre anjos — nenhum medo da eterna tortura que se espera igualmente de um ato de violência contra os outros e de um ato de violência contra si mesmo.

Vogel, que era casada, pediu em uma última carta ao marido que não fosse separada de Kleist após a morte. Eles foram enterrados no local onde caíram, uma encosta gramada e umbrosa no lago conhecido como Kleiner Wannsee.

Como muitos cemitérios, o local era tranquilo. Eu voltaria a ele sozinha muitas outras vezes. (Desde então, o local foi renovado, mas nunca mais estive ali.) Quase sempre encontrava uma flor fresca sobre a lápide de Kleist, até mesmo no inverno. Eu amava o trabalho dele desde que o li pela primeira vez na faculdade e me agradava estar em seu lugar de descanso. Pensar nos Irmãos Grimm caminhando ali. Rilke, no mesmo lugar, escrevendo versos em seu caderno.

Ao atravessar a ponte de Wannsee naquele dia, vimos dois cisnes acasalando. Mas não foi aquela visão graciosa que se poderia imaginar — a fêmea parecia estar correndo o sério risco de se afogar. De toda forma, era difícil imaginar que aquele esforço cômico da bateção de asas dos cisnes pudesse ser bem-sucedido.

Mas não muito depois, em uma passagem sob a ponte, encontrei o ninho deles, surpreendentemente perto da margem do lago. Para lá, também, eu sempre voltava. Em geral, via um deles — a fêmea, presumi — dormindo ou sentado no ninho, enquanto o outro flutuava nas proximidades. Às vezes eu os observava trabalhando juntos, ampliando o ninho com galhos e juncos, até parecer um gigantesco chapéu mexicano.

É conhecimento comum que os cisnes têm o mesmo parceiro por toda a vida. Um fato menos conhecido é que eles às vezes cometem traição. Eu mesma descobri que, desse par, um deles — o macho, presumi — visitava outro cisne em uma parte diferente do lago.

Embora eu nunca tenha visto ovo algum no ninho, esperava, no devido tempo, ver alguns filhotes de cisne. Mas então um dia o ninho sumiu. Não tenho ideia do que possa ter acontecido com ele. Os cisnes começaram a construir um novo ninho, mas em pouco tempo esse também desapareceu.

Os cisnes em Wannsee apareciam no final do dia, suas penas assumiam as cores cambiantes do pôr do sol. Cisnes rosa-claro, cisnes cor-de-rosa como flamingos, cisnes azuis como violetas, cisnes do púrpura profundo do crepúsculo, cisnes azul-noite. Pássaros saídos de um sonho, um lembrete da beleza do mundo. Do céu.

Ele deve ter sido um monstro, nós concordamos. Deve ter usado poderes poéticos para convencer uma mulher delicada e incuravelmente doente a se matar.

Mas e ela? Ela estava morrendo mesmo. O suicídio por procuração, apressando sua morte, é quase certo que lhe poupou muito sofrimento. Mas permitir que outro cometa assassinato e autoassassinato — nesse caso, alguém que, embora em desespero, ainda era jovem e poderia ter vivido e continuado a escrever lindamente por muitos anos mais —, como justificar isso?

Se Kleist não tivesse encontrado uma parceira de morte — se, como outras antes dela, essa mulher tivesse recusado seu louco pedido —, quem sabe o que poderia ter acontecido? Ou não ter acontecido. Na verdade, quanto mais penso nisso, mais me parece que madame Vogel teria muito a explicar. Que tipo de amor era esse? Não passou pela cabeça dela tentar salvar Kleist?

Agora me pergunto por que escrevi "Do céu" se não acredito que tal lugar exista.

Para os que não querem morrer sozinhos, a internet é uma dádiva divina. Completos estranhos, às vezes morando longe, encontram-se on-line e marcam uma data. Um homem da Noruega voa para a Nova Zelândia, onde ele e outro homem saltam de um penhasco. Um homem e uma mulher reservam quartos separados em um *resort* à beira do lago e depois são encontrados juntos, algemados e afogados. No Japão, onde a tendência ao suicídio em grupo é especialmente forte, uma quantidade enorme de cadáveres continua aparecendo. Mas o local favorito de suicídio no Japão continua sendo a famosa floresta Aokigahara, no sopé do monte Fuji, onde nem placas com dizeres do tipo *Você não está sozinho* e *Pense em seus pais*, nem telefones conectados a centros de valorização da vida têm êxito em fazer com que ela perca sua posição no *ranking* dos principais destinos suicidas do mundo. Compete com a Golden Gate, número um dos Estados Unidos.

Berlim. Lembro que seu humor estava excelente. Em um desses lances de sorte (de acordo com você, a maioria agora se tratava de lances de sorte), seu livro, que vendera mal nos Estados Unidos, era um *best-seller* na Europa. Então você recebeu nessa turnê um tratamento digno da realeza. Ficou encantado por estar na Alemanha, conhecida por seus leitores sérios (como você dizia), e particularmente em Berlim, uma de suas cidades favoritas, assim como Paris uma cidade perfeita para caminhar, rica na tradição da *flânerie*.

Eu me lembro de como fiquei feliz quando soube que você estava chegando. Eu sentia muita saudade de você. E, em parte porque aquele era um dos raros momentos em que você estava solteiro, e em parte porque estávamos longe de casa — visitantes estrangeiros que, com frequência, eram tidos como marido e mulher —, às vezes sentíamos que éramos mesmo um casal. Um casal de férias. De toda forma, lembro-me de me sentir especialmente próxima a você naquele fim de semana e tristemente abandonada quando você foi embora.

Tudo isso está marcado na memória e estava muito vivo em minha mente no momento em que me sentei no consultório do terapeuta. Mas não pude falar sobre essas lembranças porque não conseguia parar de chorar.

Agora estou me perguntando por que, apesar da ponderação que fiz, mantenho o "Do céu".

Ele acha que estou apaixonada por você. Acha que sempre fui apaixonada por você. E me diz isso com um tom diferente do delicado tom usual, não exatamente indelicado, mas um pouco impaciente, se não me engano. Ou talvez apenas urgente.

Isso complica o processo de luto, ele explica. Estou enlutada por você como uma amante. Como uma esposa.

Talvez isso a ajude a escrever sobre o assunto, ele diz na última vez que o vejo.

E talvez não ajude.

Eu tinha me esquecido de como lembrar é doloroso, escreve uma aluna. E ela tem apenas dezoito anos.

É Hector quem traz a notícia, após tocar a campainha no fim da tarde. O administrador do prédio avisou ao senhorio que não vale a pena contestar meu pedido para manter Apolo como animal de apoio, ainda mais porque não houve reclamações de outros inquilinos em relação a ele. (Um amigo ressalta que, agora que tenho o certificado, é provável que eu consiga ter cachorro enquanto morar lá, mesmo depois da morte de

Apolo. É provável, embora eu tenha prometido a mim mesma, mais de uma vez, não aprontar isso de novo. E, aliás, não posso suportar a ideia de Apolo *morto,* Apolo *substituído.*)

Hector está sorrindo de orelha a orelha. E eu estou com lágrimas nos olhos de alívio.

Acho que isso pede uma comemoração, eu digo.

E por acaso ainda tenho aquela garrafa de champanhe que minha aluna me deu.

Qualquer um forçado a contemplar um animal de estimação envelhecendo é como o poeta Gavin Ewart desejando que seu gato convalescente de catorze anos pudesse ter ao menos mais um verão antes da *última detestável viagem ao veterinário.*

Vejo os pelos grisalhos no focinho de Apolo e a vermelhidão nos olhos dele, vejo como em certos dias ele caminha rigidamente, como às vezes são necessárias duas tentativas para ele se levantar, e sofro. A lista dada pelo veterinário com as coisas a que devo ficar atenta, sinais comuns de doença e degeneração em cães idosos, me faz tremer. (*Como vai cuidar dele se ele ficar doente?*) Nos seis meses entre os *check-ups*, a artrite piorou.

Um milagre não é suficiente. O desastre foi evitado, pois fomos poupados da separação ou do despejo —, mas, sinto muito, não é suficiente. Agora sou como a esposa de "O pescador e sua mulher": quero mais. E não apenas outro verão, ou dois, ou três, ou quatro. Quero que Apolo viva tanto quanto eu. Qualquer coisa menos que isso é injusta.

E por que, no final, essa *inevitável* viagem ao veterinário? Por que ele não pode morrer em casa, dormindo, em paz, como qualquer bom cão merece?

Por que, depois de salvá-lo, devo agora observá-lo sofrer — sofrer e morrer — e então ficar sozinha, sem ele?

Acho que ele sabe quando estou tendo tais pensamentos. Se está por perto, ele volta a atenção para mim, quase como se quisesse me distrair.

Acredita-se que, embora os animais não saibam que um dia morrerão, muitos deles sabem quando estão morrendo. Então, em que momento um animal moribundo se torna consciente do que está acontecendo? Poderia ser um bom tempo antes? E como os animais respondem ao envelhecimento? Eles ficam completamente confusos ou, de alguma forma, intuem o que os sinais significam? Essas perguntas são tolas? Reconheço que são. E ainda assim elas me preocupam.

Apolo tem um brinquedo favorito, um rebocador vermelho feito de borracha rígida. Gosto dos ruídos de cachorro-monstro que ele faz quando brincamos de cabo de guerra. Mas a maior parte da diversão para ele parece estar em me deixar ganhar. (Continuo na ignorância sobre o quão consciente ele é ou não da própria força; eu certamente nunca o vi usar sua força total.) Outros brinquedos não lhe interessam, embora eu continue comprando novos — assim como continuo levando-o ao parque dos cachorros, mesmo que eu tenha perdido a esperança de vê-lo brincar ali. Ele está tão pouco interessado em outros cães quanto em outras pessoas. E isso continua me incomodando. *Por que você não brinca? Há tantos cachorros simpáticos no parque!*

Mas por que isso deveria importar? Acho que é como o pai ou a mãe querendo que o filho, se não puder ser o mais popular, ao menos não seja um solitário. Eu ficaria muito feliz em vê-lo fazer amizade com pelo menos outro cão e talvez até se apaixonar. Só porque foi castrado não significa que ele não possa ter sentimentos especiais por outro cachorro, não é? Muitas vezes nos deparamos com uma deslumbrante cane corso cinza chamada Bella. (Decidi que o antropomorfismo é inevitável e, embora eu possa tentar escondê-lo, não luto mais contra ele.)

Sobre a lealdade canina, característica muito admirada, o escritor Karl Kraus ressaltou que os cães são fiéis a pessoas, não a outros cães. E, portanto, talvez não sejam o melhor exemplo da virtude. De fato, com frequência, os cães odeiam outros cães, até mesmo do próprio sangue.

Presenciei de novo a cena esta manhã. Dois cães com coleira e guia avistam um ao outro e imediatamente começam a se precipitar e rosnar.

Filho da puta. Te odeio. Desgraçado. Vou morder a porra de seu focinho, seu fedorento. Vou te matar. Sorte a sua que estou preso, senão arrancaria suas malditas bolas.

Ambos se esgoelando enquanto se esforçam para alcançar um ao outro.

Apolo não é assim. Nunca o vi insultar, atacar ou intimidar outro cachorro. Apesar de tudo o que passou, ele permaneceu gentil, manteve sua... humanidade, quero dizer (que palavra *devo* dizer?).

Uma vez passamos por um gato sentado no degrau da entrada de uma casa, quase no mesmo nível da cabeça de Apolo. O gato pula, contorna Apolo e cospe na cara dele. Apolo lhe oferece a outra face: o bichano lhe dá um safanão. Por um instante, temo pelo gato, mas Apolo continua andando. Ele não quer confusão. Ele quer paz.

Mesmo na velhice, ele é uma criatura de beleza tão impressionante que regularmente atrai suspiros.

Imaginar como era ele no auge.

Não é incomum querer saber como a pessoa que você ama era antes de conhecê-la. Dói, quase sempre, não saber como alguém amado era na infância. Eu me senti assim em relação a todos os homens pelos quais me apaixonei e também em relação a muitos amigos próximos, e agora é assim que me sinto em relação a Apolo.

Por não tê-lo conhecido como um cão jovem brincalhão, por ter perdido toda a infância dele! Não me sinto apenas triste, me sinto enganada. Nem mesmo uma foto para mostrar como ele era. Tenho que me contentar em olhar para filhotes de dogue alemão arlequim em livros ou na internet. Uma atividade à qual, confesso, já dediquei algumas horas.

Aconteceu apenas uma vez. Passeando com Apolo no SoHo, corro até outra pessoa com um dogue alemão arlequim. Ambos os humanos ficam emocionados, mas os cães ignoram um ao outro.

Algo ruim acontece ao cachorro: uma lição aprendida cedo com os livros infantis. Os animais nessas histórias quase sempre morrem, e muitas vezes de maneira terrível. *Meu melhor companheiro. O pônei vermelho.* E, mesmo quando não morrem, mesmo quando não só estão vivos, como também felizes no final da história, eles sofrem — muitas vezes seriamente, muitas vezes comendo o pão que o diabo amassou. *Beleza Negra. A minha amiga Flicka. Caninos brancos. Um cão chamado Buck.* O livro *Beautiful Joe* [O belo Joe], baseado na vida de um cachorro de verdade e repleto de cenas de crueldade, começa com o dono brutamontes cortando as orelhas e a cauda de Joe com um machado.

Sem dúvida, como muitos outros leitores, lembro-me de chorar lendo esses livros (nunca tanto quanto com a história do pobre Joe), mas nunca me arrependi de tê-los lido. Existe algo mais convincente do que uma história sobre uma criança e um animal que criam um laço? Quando soube que queria escrever, tive certeza de que seria sobre isso que escreveria. Mas nunca o fiz.

Quando as pessoas são muito jovens, elas veem os animais como iguais, até mesmo como um parente. Que os humanos são diferentes, únicos e superiores a todas as outras espécies — sobre isso elas precisam ser ensinadas.

As crianças fantasiam sobre um mundo povoado exclusivamente por não humanos. Eu gostava de fingir que era algum tipo de animal, um gato, um coelho, um cavalo. Eu tentava me comunicar através de sons de animais em vez de falar e me recusava a comer usando as mãos. Algumas vezes, prolonguei esse comportamento por tanto tempo e com tanta convicção que se tornou motivo de preocupação parental. Uma brincadeira, mas no cerne dela havia algo absolutamente sério, uma característica que foi levada para a idade adulta: o desejo de não fazer parte da espécie humana.

Algo ruim acontece ao cachorro no romance de Milan Kundera *A insustentável leveza do ser*. O cachorro, ainda filhote, é dado de presente pelo protagonista, Tomas, à esposa, Tereza — pela mesma razão, nos é dito, que ele se casou com Tereza: para compensar a dor e a humilhação que o fato de ser um mulherengo incorrigível causa a ela. Embora o filhote seja uma fêmea, recebe caprichosamente o nome de um personagem masculino de outro romance, o marido de Anna Kariênina. Karenin, a cachorra, odeia mudanças, adora estar no campo, onde faz amizade com um porco, e, depois de desenvolver um câncer terminal, é colocada para dormir.

Kundera tem uma interpretação própria de Gênesis 1:26. *A verdadeira bondade do homem só pode se manifestar com toda a pureza e com toda a liberdade em relação àqueles que não representam nenhuma força.* Que seja visto, então, como a raça humana trata aqueles que foram colocados à sua mercê. E, com o homem submetido a esse teste moral, *aí que se produziu a falência fundamental do homem, tão fundamental que dela decorrem todas as outras.*

Karenin e Tereza são dedicadas uma à outra. Ao refletir sobre esse vínculo puro e desinteressado, Tereza conclui que tal amor é, se não maior, melhor do que a coisa corrupta, carregada, eternamente decepcionante e comprometida que sempre teve com Tomas.

Idílicas é como Kundera descreve as relações humanas com os animais. Idílicas porque os animais não foram expulsos conosco do Paraíso. Lá eles permanecem, não perturbados por complicações como a separação do corpo e da alma, e é através do nosso amor e da nossa amizade com eles que somos capazes de nos reconectar com o Paraíso, ainda que apenas por um fio.

Outros vão mais longe. Cães não são apenas intocados pelo mal. Eles são seres celestiais, anjos encarnados, espíritos guardiões peludos enviados para vigiar e ajudar as pessoas a viver. Assim como a deificação dos gatos, essa crença está em toda a internet e cresce a cada dia. Isso faz pensar. A respeito das pessoas, quero dizer.

Algo bastante ruim acontece a muitos cães em *Desonra*. A questão persiste: por que David Lurie não salva um deles, o vira-lata que claramente veio a amá-lo e pelo qual ele, por sua vez, sente uma afeição especial? Por que esse cachorro — um bom cachorro, aleijado, mas ainda jovem e aparentemente sensível à música — não pode ser poupado do destino de todos os outros cães indesejáveis exterminados na clínica de bem-estar animal? Por que, em vez de ficar com o cachorro, Lurie insiste em sacrificá-lo?

Lembre-se da agente Starling em *O silêncio dos inocentes* dizendo a Hannibal Lecter como, quando menina, morando no rancho do tio, ela queria desesperadamente salvar os cordeiros da matança da primavera. De como ela pegou um cordeiro e tentou fugir. *Eu pensei que, se eu pudesse salvar um só... mas ele era pesado. Tão pesado.* No final, assim como Lurie, ela não consegue salvar um animal marcado para morrer. Nem mesmo um.

Sabemos que eles pensam, mas os cães têm opiniões?

Kundera dá grande importância ao fato de que, ao contrário de nós, os animais não sentem nojo. Não tenho tanta certeza disso (nem mesmo os gatos?), mas o fato de os cães não serem críticos nem julgadores é inegavelmente uma grande parte do que os torna populares para nós. (Foi isso o que levou os educadores a pensar que crianças com problemas de leitura lerem em voz alta para os cães poderia ser uma ótima ideia. Talvez também seja por isso que artistas como Laurie Anderson e Yo-Yo Ma relataram que olham para a plateia e fantasiam que todos ali são cães.)

Gratidão: Não acredito que as pessoas imaginem isso quando atribuem tal sentimento ao cão que adotaram. Muitas vezes sinto que Apolo é grato a mim.

Quero saber se ele aguarda ansiosamente pelas coisas. *Ela estará em casa em breve. Mal posso esperar para comer! Amanhã é outro dia.*

Mais ainda, quero saber como ele se lembra do passado. Ele tem aspirações? Arrependimentos? Lembranças doces? Agridoces? Com sentidos tão aguçados, por que os cães não poderiam ter momentos proustianos?

Por que eles não poderiam ter momentos de eureca!, epifanias e assim por diante?

No começo, eu às vezes o pegava olhando para mim, então ele se virava quando eu o encarava de volta. Agora, ele frequentemente descansa a cabeça quadrada em meus joelhos e inclina os olhos para mim com uma expressão de fala.

O que você fala com ele?, quis saber o terapeuta.

Na maior parte das vezes, faço perguntas. O que há, filhote? A soneca foi boa? Perseguiu algo em seu sono? Quer sair? Está com fome? Você está feliz? Sua artrite está doendo? Por que você não brinca com outros cachorros? *Você é* um anjo? Quer que eu leia para você? Quer que eu cante? Quem ama você? Você me ama? Você me amará para sempre? Quer dançar? Eu sou a melhor pessoa que você já teve? Dá para ver que bebi? Esse jeans me deixa gorda?

Se pudéssemos conversar com os animais, diz a música.

Quer dizer, se eles pudessem falar com a gente.

Mas é claro que isso arruinaria tudo.

A sua casa toda cheira a cachorro, diz alguém que vem me visitar. Digo que vou cuidar disso. A solução é nunca mais convidá-lo para vir à minha casa.

Uma noite, acordo e encontro Apolo ao lado da cama aparentemente tentando, com os dentes, me cobrir com o cobertor que devo ter afastado durante o sono. Quando conto isso às pessoas, elas não acreditam. Dizem que devo ter sonhado. É possível, concordo. Mas na verdade acho que elas estão é com inveja.

Em um evento literário. Uma mulher que eu nunca vi me diz: Você não é aquela que está apaixonada por um cachorro?

Estou? Fiz de um cachorro meu marido assim como Ackerley fez de uma cadela sua esposa? A morte de Apolo será o dia mais triste da minha vida? Será que também vou querer me *imolar em um cerimonial sati*? Não. Mas me vi tão ansiosa para chegar em casa que preferi pegar um táxi a voltar de trem. Eu me alegro ao pensar em vê-lo, e, certamente, esse amor não é como qualquer amor que eu tenha sentido antes.

Uma ansiedade recorrente: Alguém que diz ser o dono de Apolo enfim aparece, alguém com uma história maluca, mas convincente, de como os dois se separaram, e agora ele espera que eu o devolva.

Lembrei-me de que só há pouco tempo me dei conta de que lealdade canina se refere literalmente à dedicação cega que um cachorro pode ter por uma pessoa.

Lendo Ackerley, notei que ele às vezes usa a palavra pessoa para se referir a um cachorro. No começo, pensei que fosse um erro. Mas, considerando que ele era um dos escritores mais cuidadosos do mundo, eu diria que é improvável.

Lembrei-me agora de um amigo me contando que, durante anos, pensou que a expressão fosse "Quem não tem cão caça com gato", e não "Quem não tem cão caça como gato", e que nunca entendeu muito bem o que ela significava.

Quando as pessoas nos veem com um cachorro, elas nos contam histórias de cachorro. Um homem de terno acaricia a cabeça de Apolo enquanto me conta como a mãe dele decidiu um dia abandonar o cachorro que ela teve por anos. Ela levou o cachorro para uma estação de ônibus e o deixou dentro de um veículo, debaixo de um banco. Quando o filho descobriu o que ela fizera, rastreou o cachorro e o encontrou em um abrigo. Ligou para lá a fim de garantir que ficaria com ele, mas que, no momento, estava terminando o curso de direito em uma faculdade do outro lado do país. O abrigo prometeu guardar o cachorro, mas, antes que o homem pudesse chegar lá, o animal morreu. Foi-lhe dito simplesmente que ele parou de comer.

Eu não consigo entender, o homem diz. O cachorro era gordinho porque minha mãe o alimentava com rosquinhas, ele diz, mas ainda era jovem, bonito e totalmente adotável. De jeito nenhum ela precisava despejá-lo assim. Embora isso tivesse acontecido havia muito anos, ele ainda tentava entender por que a mãe fizera uma coisa dessas.

Porque ela queria magoar alguém, eu não digo.

A produtora de uma rádio pública me convida para contribuir com um texto sobre um livro, qualquer um de que eu goste muito e que possa recomendar aos ouvintes, diz ela.

Na verdade, já conheço esse programa da rádio, tendo ouvido outros escritores lerem no ar os textos sobre seus livros favoritos.

Escolho *o Oxford Book of Death* [Livro da morte da Oxford]. Não apenas porque é um livro que realmente acho que todos devam ler, mas também porque por acaso o estou relendo, com atenção especial aos capítulos "Suicídio" e "Animais".

Escrevo as quinhentas palavras solicitadas, elogiando a seleção da antologia de excertos de tempos antigos a atuais que cobre todos os aspectos do assunto, de "Definições" a "Últimas Palavras". Digo como achei todo esse escrito sobre a morte fascinante e como o livro era paradoxalmente divertido e repleto de vida.

Dedico bastante tempo ao texto, grata pela pequena tarefa, por estar escrevendo algo, qualquer coisa. Termino e envio, mas não há resposta, e nunca mais recebo notícias da produtora.

Nos noticiários:

Uma terapia experimental está sendo praticada em alguns abrigos de animais: voluntários leem em voz alta para cães maltratados e traumatizados.

Entrevista com um bailarino profissional que, quando menino, vítima de *bullying* persistente, ficou mudo.

A morte do escritor Michael Herr, cujo obituário revela que nos últimos anos de vida ele se tornou budista devotado e parou de escrever.

Do *Oxford Book of Death*:

O silogismo de Nabokov. *Outros homens morrem; mas eu não sou outro homem; logo não vou morrer.*

"A única experiência que jamais descreverei", eu disse ontem a Vita, Virginia Woolf escreveu em seu diário. Quinze anos antes de o indescritível acontecer.

Nas oficinas de escrita criativa, muitas histórias começam com alguém se levantando pela manhã. Bem menos vezes uma história termina com alguém indo para a cama. É mais provável que uma história termine com uma morte. De fato, muitas histórias de alunos começam ou terminam em um funeral. E, quando um aluno quer transmitir o fluxo de consciência de um personagem, ele quase sempre o coloca em movimento. Pode ser em algum meio de transporte, como um carro ou um avião. Como se só pudessem imaginar um personagem pensando dessa maneira se ele também estiver se movendo pelo espaço.

Pergunta: Por que você enviou esse personagem para uma viagem à Índia, sendo que isso não tem nada a ver com o restante da história?

Resposta: Eu queria mostrá-lo muito preocupado.

Últimas palavras. *Então é assim que a história termina*, disse meu amigo na clínica de tratamento para pacientes com HIV. Os olhos arregalados de admiração, como os de uma criança.

Como a história deve terminar? Há algum tempo imagino que termina da seguinte maneira.

Uma mulher sozinha em seu apartamento uma manhã, preparando-se para sair. Um daqueles primeiros dias de primavera com iguais períodos de sol e nuvens. Possibilidade de chuva forte no final do dia. A mulher está acordada desde a primeira claridade.

Que horas são?

Oito horas.

O que a mulher fez entre o momento em que acordou e as oito?

Por cerca de meia hora, ela ficou na cama tentando pegar no sono de novo.

A mulher sofre daquele tipo particular de insônia: despertar frequente, incapacidade de permanecer adormecida?

Sim.

Existe algum pequeno truque para voltar a dormir que ela tente quando isso acontece?

Contar de mil a zero. Nomear, em ordem alfabética, todos os estados. Essa manhã, porém, nada funcionou.

Então ela se levantou. E depois...?

Fez café. Um expresso preparado em uma cafeteira italiana com capacidade para uma xícara que ela adquiriu recentemente e a qual descobriu preferir à prensa francesa que usava antes e que há cerca de um mês quebrou sem querer. Em geral, ela gosta desse ritual matinal. Preparar e tomar o café enquanto ouve as notícias no rádio.

Que notícias a mulher ouviu?

Na verdade, ela está preocupada essa manhã e não está de fato ouvindo.

Ela comeu alguma coisa?

Metade de uma banana em rodelas misturada com iogurte natural, passas e nozes, em uma xícara.

O que ela fez depois do café da manhã?

Leu os e-mails. Respondeu a uma mensagem, uma pergunta da livraria da faculdade sobre alguns livros que ela havia encomendado para um curso. Confirmou uma consulta ao dentista. Tomou banho e começou a se vestir. Mas ela continua hesitando por causa do tipo de dia que terá. Um suéter será muito quente? Uma capa de chuva, muito leve? Deveria levar um guarda-chuva? Que tal um chapéu? Luvas?

A mulher tirou uma folga esta manhã para ir aonde?

À casa de um velho amigo que passou um tempo no hospital.

O que ela finalmente decide vestir?

Jeans e um cardigã de lã por cima de uma blusa de gola alta. A capa de chuva com capuz.

Como a mulher vai para a casa do amigo?

Ela pega o metrô de Manhattan para o Brooklyn.

Ela para em algum lugar no caminho?

Em uma banca de flores perto da estação de trem em Manhattan, onde compra narcisos.

E, quando sai do metrô, ela vai direto para a casa do amigo?

Sim. Agora ela está se aproximando da casa estilo Brownstone do amigo.

O amigo que ela visita também mora sozinho?

Não, mora com a esposa, que não está em casa esta manhã porque foi trabalhar. Mas há um cachorro. Ela o ouve latir após tocar a campainha. A porta se abre, e o homem sai e cumprimenta a mulher com um abraço. O homem está vestido — por coincidência — do mesmo jeito que ela sob a capa de chuva: jeans azul, blusa de gola alta preta, cardigã cinza. Eles se abraçam fortemente por alguns instantes enquanto o cachorro, um dachshund miniatura, late e pula nas pernas deles.

Eles estão instalados na sala de estar, bebendo o chá que o homem preparou. Um prato com alguns biscoitos permanece intocado. Os narcisos foram colocados em um pequeno vaso de cristal em um local ensolarado no parapeito da janela, onde fulguram com um brilho neon que (a mulher não pode deixar de pensar) os faz parecer artificiais. Uma das hastes se curvou, e a flor se inclina como se estivesse envergonhada, ou tímida em ser o centro das atenções.

Agora se pode perceber que o homem tem a palidez e a magreza de um convalescente. A voz dele está tensa, como se fizesse um esforço para falar em um tom mais alto que um sussurro. Há uma tensão no ar, como algo prestes a explodir ou quebrar. O cachorro sente isso e, por essa razão, não consegue relaxar, embora esteja muito quieto em sua cesta de vime. O homem fala, e o cachorro, ao ouvir o próprio nome, balança a cauda.

"Eu queria lhe agradecer novamente por cuidar de Jip."

"Ah, ele não deu nenhum trabalho", diz a mulher. "Eu gostava de tê-lo por perto. Era como ter um pouco de você lá comigo."

"Ah", diz o homem, e a mulher completa: "Fiquei feliz em poder ajudar".

"E você ajudou *muito*", garante o homem. "Jip é um bom menino, mas é mimado e precisa de muita atenção. E minha pobre esposa já tinha o suficiente com que lidar." Uma pausa. O homem abaixa a voz. "A propósito, eu queria perguntar: o que exatamente ela contou a você?"

"Que ela ia viajar a trabalho e que o voo dela atrasou por causa de uma tempestade em Denver. Que tentou ligar para você do aeroporto, mas não obteve resposta. Então o voo foi cancelado, e ela pegou um táxi para casa, e, quando chegou, viu o bilhete para a faxineira avisando-a para não entrar. E ligar para a emergência."

O homem não olha para a mulher enquanto ela fala. Ele se fixa nos narcisos no parapeito da janela, apertando os olhos como se o brilho das flores os ferisse. Quando ela para de falar, ele espera, como se aguardasse que ela continuasse, e, como ela não continua, ele diz: "Se um aluno colocasse isso em uma história, eu diria: Mas isso é fácil demais".

Nesse momento, uma nuvem cobre o sol e a sala escurece. A mulher tem uma onda de pânico, alarmada com a ameaça de lágrimas.

"Eu tinha tudo planejado", diz o homem. "Levei Jip para o canil. A faxineira viria na manhã seguinte."

"Mas como você está agora?", pergunta a mulher um pouco alto demais, assustando o cachorro. "Como se sente?"

"Desonrado."

A mulher começa a contestar, mas o homem a interrompe.

"É verdade. Eu me sinto humilhado. Mas essa é a resposta habitual."

Eu sei, a mulher não diz. Tenho lido sobre suicídio.

"Mas isso não é tudo o que sinto", diz o homem, erguendo o queixo. "Acontece que eu não sou nada especial. Sou como a maioria dos suicidas que fracassaram: feliz por ter sobrevivido."

Desconcertada, a mulher diz:

"É bom ouvir isso!"

"Continuo me perguntando, porém, por que eu não me sinto *mais*", continua o homem. "Na maior parte do tempo, sinto-me confuso ou entorpecido, como se tudo tivesse acontecido há cinquenta anos... ou nunca. Mas isso se deve em parte à medicação."

A nuvem desapareceu, e a luz voltou a entrar.

"Você deve estar feliz por voltar para casa", diz a mulher.

O homem faz uma pausa.

"Sem dúvida, estou feliz por ter saído do hospital. Parece que foram meses, e não só algumas semanas. Realmente não há muito o que fazer em uma ala psiquiátrica. O que tornou tudo ainda pior foi não conseguir ler, minha concentração estava arruinada, eu esquecia a frase assim que chegava ao fim dela. E porque eu não queria que as pessoas soubessem o que havia acontecido, não podia receber visitas. A propósito, você ainda é a única fora da família que conhece toda a história. Por enquanto, quero que continue assim."

A mulher faz que sim com a cabeça.

"Não que tenha sido uma experiência totalmente negativa", acrescenta ele. "E eu ficava me lembrando: Quando algo ruim acontece com um escritor, não importa o quão terrível, há sempre um lado positivo."

"Como?", diz a mulher, endireitando-se. "Quer dizer que vai escrever sobre o que houve?"

"Isso certamente é possível."

"Como ficção ou memórias?"

"Não faço ideia. É muito cedo. Preciso me distanciar do que ocorreu..."

"E você está escrevendo agora? Conseguiu escrever alguma coisa?"

"Bem, na verdade, isso era algo que eu queria contar a você. Nós tivemos uma pequena oficina na enfermaria! Era parte da terapia de grupo. Havia essa mulher, uma terapeuta recreacional, como são chamados. Ela nos fez escrever poesia em vez de prosa... porque não tínhamos muito tempo, ela disse, mas sem dúvida também por outras razões. E ela fez todos lerem em voz alta o que escreveram. Nenhuma análise, nenhuma crítica. Apenas para compartilhar, sabe? Todo mundo escreveu as coisas mais terríveis, e todo mundo elogiou. Toda essa poesia terrível que *não era* poesia... você pode imaginar o tipo de coisa. Vozes trêmulas e falhas, alguns demorando uma eternidade para ler. E todo mundo levava isso a sério, era possível dizer quanto significava para eles terem a chance de falar sobre seus problemas e ver que poderiam levar as pessoas às lágrimas. E, ah, sempre houve lágrimas. E todo poema recebeu uma salva de palmas. Foi muito estranho. Em todos os meus anos de ensino, nunca cheguei perto do tipo de emoção que senti naquela sala. Foi muito comovente, muito estranho..."

"É difícil para mim imaginar você nessa situação."

"Acredite em mim, não perdi a ironia. No começo pensei que não queria participar daquilo, assim como não queria participar da atividade com livros de colorir que eles nos encorajavam a realizar... não apenas para passar o tempo, mas porque o ato de colorir reduz a ansiedade. O que seria problemático, porque todos sabiam que eu era escritor e professor de escrita criativa, e eu teria parecido o mais terrível dos esnobes. E, como digo, a vida na enfermaria era tão chata. Eu não podia ler e me recusei a sair — estava com medo de encontrar alguém conhecido e ter que explicar o que estava fazendo no cinema ou no museu com uma enfermeira e um bando de malucos. Ao menos, a oficina foi uma distração, uma maneira de matar o tempo. E então, para ser totalmente honesto, havia a terapeuta. Ela não era linda, mas era jovem e meio gostosa, e você me conhece. Eu queria a atenção dela. Eu poderia não passar de um paciente psiquiátrico, e com idade suficiente para ser avô dela, mas ainda assim queria impressioná-la. Na verdade, queria transar com ela... não que eu tivesse alguma esperança disso. De toda forma, eu não escrevia poesia desde que estava na faculdade, e havia algo de maravilhoso em voltar a fazê-lo após todos esses anos. Vou me lembrar daquela rodada de aplausos até morrer. E a grande surpresa é que eu continuei."

"Você está escrevendo poesia?" A mulher sente outra onda de pânico quando acha que ele pode pedir a ela que leia os poemas que escreveu. Ou, pior, que se sente e o ouça ler para ela.

"Ah, nada que eu mostre a alguém neste momento", diz o homem. "Mas agora está sendo mais fácil trabalhar em textos curtos. A ideia de escrever qualquer coisa mais longa francamente me aterroriza. Como voltar ao livro em que eu estava trabalhando — tal como um cachorro para o próprio vômito! Mas chega de falarmos de mim. O que você tem feito?"

Ela conta ao homem sobre um novo curso que está ministrando. Vida e história. Ficção como autobiografia, autobiografia como ficção. Escritores como Proust, Isherwood, Duras, Knausgård.

"Boa sorte em conseguir que os filhos da puta leiam Proust! E o texto em que estava trabalhando? Terminou?"

"Não, eu o abandonei."

"Ah, não! Por quê?"

A mulher encolhe os ombros.

"Não deu certo. Em parte porque eu me sentia culpada, como se estivesse usando as pessoas sobre as quais escrevia. Não posso explicar exatamente por que me senti assim, mas me senti. E você sabe como funciona a culpa, você não a sente por nada... E onde há fumaça há fogo."

"Mas isso é bobagem", diz o homem. "Tudo é material para o escritor, só depende de *como* você o usa. Eu a teria encorajado a escrever algo que achasse estar errado?"

"Não. Mas a verdade é que, quando você sugeriu que eu escrevesse sobre essas mulheres, você não estava pensando nelas, mas em mim. Era algo que seria bom para mim. Eu seria publicada, seria lida, seria remunerada."

"Sim, é o que os escritores fazem, é chamado jornalismo literário. Mas você não pode dizer que não existem outras boas razões."

"Talvez, mas isso não importa. Porque a verdade é que eu não podia fazer aquilo. Literalmente, quero dizer. Eu escrevia algo como 'Oksana é uma mulher de vinte e dois anos com o rosto redondo e pálido, maçãs do rosto salientes e cabelos loiros, que fala com um leve sotaque russo'. Então eu lia o que havia escrito e me sentia mal. E não pude continuar. As palavras não vinham. Fiz toda a pesquisa. Fiz todas as anotações. E eu me sentava lá e me perguntava o que esperava fazer com toda aquela evidência de violência e crueldade, aquele catálogo de detalhes atrozes. Organizá-lo em alguma narrativa envolvente? E se eu fizesse isso, se conseguisse encontrar as palavras precisas e o tom certo — se eu tivesse todo aquele horror real e imundo transformado em boa prosa —, o que significaria? No mínimo, pensei, escrever deveria *me* ajudar, a mim como escritora, a entender melhor, mas eu sabia que seria apenas uma ilusão. Escrever não me faria compreender o tipo de mal que eu estava enfrentando. E não faria nada pelas vítimas — esse triste fato também era inevitável. A única coisa que eu poderia dizer com certeza, algo que, acredito, em geral é verdadeiro para projetos como esse, é que a pessoa importante envolvida sempre é aquela que escreve. E comecei a sentir que havia algo não apenas egoísta, mas cruel — sangue-frio, se quiser — naquilo que eu fazia. Eu odiava a atitude forense que parece ser uma exigência do gênero."

"Então talvez funcionasse melhor se você tentasse transformá-lo em ficção", diz o homem.

A mulher franze o cenho.

"Pior ainda. Fazer dessas garotas e mulheres personagens vívidos e interessantes? Mitologizar e romancear o sofrimento delas? *Não.*"

O homem dá um suspiro exagerado.

"Conheço esse argumento, mas não acredito nele. Se todos se sentissem assim, o mundo permaneceria ignorante a respeito de coisas que ele tem boas razões para conhecer. Os escritores têm que testemunhar, é a vocação deles. Alguns diriam que o escritor não *tem* um chamado maior do que testemunhar injustiça e sofrimento."

"Tenho pensado muito nisso desde que Svetlana Alexievich ganhou o Nobel", diz a mulher. "'O mundo está repleto de vítimas', diz Alexievich. Pessoas comuns que experimentam eventos horríveis, mas que nunca são ouvidas e acabam esquecidas. Seu objetivo como escritora, ela diz, é dar voz a essas pessoas. Mas ela não acredita que isso possa ser *feito* por meio da ficção. Não estamos mais vivendo no mundo de Tchekhov, diz ela, e a ficção não é muito boa para chegar à nossa realidade. Precisamos de ficção *documental*, histórias pinçadas da vida individual e comum. Nenhuma invenção. Nenhum ponto de vista autoral. Ela chama seus livros de romances polifônicos. Também os ouvi sendo chamados de romances-evidências. A maioria de seus narradores é mulher. Ela acha que as mulheres são narradores melhores porque elas examinam sua vida e seus sentimentos de um jeito que os homens em geral não fazem, mais intensamente e... por que está sorrindo?"

"Eu estava pensando sobre o argumento de que os homens devem parar de escrever por completo."

"Alexievich nunca disse isso. Mas ela argumenta que, para chegar às profundezas da experiência e da emoção humanas, é preciso deixar as mulheres falarem."

"Mas silenciando a escritora."

"Certo. O objetivo é fazer com que aqueles que realmente vivem o sofrimento também façam o testemunho, com o papel do escritor limitado a empoderá-los."

"Está enraizada, não está? Essa ideia de que o que os escritores fazem é essencialmente vergonhoso e de que todos somos, de alguma forma, personagens suspeitos. Quando eu lecionava, percebi que, a cada ano, a opinião dos meus alunos sobre os escritores parecia baixar um pouco mais de nível. Mas e quando aqueles que desejam ser escritores veem os escritores sob uma luz tão negativa? Você consegue imaginar um estudante de dança se sentindo assim em relação ao New York City Ballet? Ou jovens atletas desprezando campeões olímpicos?"

"Não. Mas os bailarinos e os atletas não são vistos como privilegiados, os escritores são. Para se tornar um escritor profissional em nossa sociedade, você tem que ser privilegiado desde o início, e o sentimento é de que pessoas privilegiadas não deveriam mais estar escrevendo... a não ser que encontrem uma maneira de não escrever sobre si mesmas, porque isso só aumenta a supremacia branca e o patriarcado em evidência. Você zomba, mas não pode negar que escrever é uma atividade elitista e egoísta, realizada para chamar atenção e se promover no mundo, não para tornar o mundo um lugar mais justo. É claro que há de existir certa vergonha associada a ela."

"Gostei do que Martin Amis disse: deplorar o egoísmo nos romancistas é como deplorar a violência nos boxeadores. Houve um tempo em que todos entendiam isso. E houve um tempo em que jovens escritores acreditavam que escrever era uma *vocação*... como se tornar freira ou padre, como disse Edna O'Brien. Lembra?"

"Sim, como também me lembro de Elizabeth Bishop dizendo que não há nada mais embaraçoso do que ser poeta. O problema da autoaversão não é novo. O que é nova é a ideia de que as pessoas com o histórico de maior injustiça têm o maior direito de serem ouvidas e que chegou a hora de as artes não apenas darem espaço a elas, mas de serem dominadas por elas."

"É uma espécie de dilema, não? Os privilegiados não devem escrever sobre si mesmos, porque isso favorece o patriarcado branco imperialista. Mas também não devem escrever sobre outros grupos, porque isso seria apropriação cultural."

"É por isso que acho Alexievich tão interessante. Se você vai retratar algum grupo oprimido em uma obra literária, precisa encontrar uma maneira de deixá-lo falar e manter-se de fora. A razão pela qual as pessoas agora se assustam com a ideia de que é preciso ser talentoso para escrever é que isso exclui muitas vozes. Alexievich possibilita que as pessoas sejam ouvidas, que suas histórias sejam contadas, podendo elas escrever ou não frases bonitas. Outra sugestão é que, se você escrever sobre um grupo oprimido, deve doar seus direitos autorais para alguma causa que o ajude."

"O que anula o propósito, se você precisa ganhar a vida. De fato, sob tais regras, somente os ricos podem se dar ao luxo de escrever o que quiserem! Bem, para mim, a única questão séria é se a ficção de não ficção de Alexievich produz uma obra tão boa quanto ficção de ficção. Eu mesmo estou inclinado a concordar com pessoas como Doris Lessing, que achava que a imaginação faz o melhor trabalho em conseguir a verdade. E não engoli essa ideia de que a ficção não é mais uma questão de retratar a realidade. Eu diria que o problema está em outro lugar. E eis outra coisa que notei nos alunos: como eles se tornaram hipócritas, como são intolerantes a qualquer fraqueza ou falha no personagem criado por um escritor. E não estou falando sobre racismo e misoginia flagrantes, por exemplo. Estou falando de qualquer pequeno sinal de insensibilidade ou preconceito, qualquer prova de problema psicológico, neurose, narcisismo, obsessividade, maus hábitos... qualquer excentricidade. Se o escritor não se encaixar no tipo de pessoa que os alunos gostariam de ter como amigo, o que invariavelmente significa alguém progressista e com um estilo de vida saudável, foda-se ele. Uma vez tive uma turma inteira concordando que não importava quão grande fosse o escritor Nabokov, um homem assim — esnobe e pervertido, conforme o viam — não deveria constar da bibliografia obrigatória de ninguém. Um romancista, como qualquer bom cidadão, tem que se sujeitar às regras, e a ideia de que uma pessoa poderia escrever exatamente o que quisesse, independentemente da opinião dos outros, era impensável para eles. É claro que a literatura não pode cumprir seu papel em uma cultura como essa. O fato de a escrita ter se tornado tão politizada me perturba, mas meus alunos estão mais do que bem com isso. Na realidade, alguns deles querem ser escritores precisamente por causa disso. E, se você se opuser a qualquer coisa, se tentar falar com eles sobre, digamos, arte pela arte, eles tapam os ouvidos, eles o acusam de "profexplicar". É por isso que decidi não voltar a lecionar. Sem querer ser autocompassivo demais, mas, quando alguém está tão em desacordo com a cultura e seus temas do momento, de que adianta?"

E, sem querer ser cruel demais, ela não diz, mas você não fará nenhuma falta.

"De toda forma, sinto muito que tenha desistido desse texto", diz ele. "Você sabe que eu queria que terminasse."

"Para ser honesta", diz a mulher, "houve outro motivo. Eu me distraí. Comecei a escrever outra coisa.

"Sobre o quê?"

"Sobre você."

"Eu! Que bizarro. O que diabos fez você decidir escrever sobre mim?"

"Bem, não foi algo que planejei. Foi perto do Natal, e por acaso assisti ao filme *A felicidade não se compra*. Tenho certeza de que já viu."

"Muitas vezes."

"Então você sabe o que acontece. James Stewart, George Bailey, é impedido de tirar a própria vida por um anjo que lhe mostra que grande perda seria para o mundo se ele nunca tivesse existido. Eu estava sentada lá assistindo com Jip... Jip estava no meu colo... e é claro que pensei em você. Quer dizer, eu estava sempre pensando em você após saber o que havia acontecido, imaginando se você ficaria bem." (Aqui o olhar do homem é novamente atraído para as flores no parapeito da janela.) "Eu estava pensando em como foi por um triz. Esqueci o filme e comecei a imaginar como teria sido se *você* não tivesse sido parado. Afinal, foi pura sorte... ou talvez *você* tenha um anjo da guarda. De toda forma, não conseguia parar de pensar nisso. E se você não tivesse sido encontrado a tempo? E então eu soube que era sobre isso que eu precisava escrever."

Se o homem já estava pálido antes, agora ele está branco como papel.

"Estou ouvindo certo? Por favor, diga que não."

"Me desculpe", diz a mulher. "Eu deveria ter dito que é ficção. Disfarcei todo mundo."

"Ah, dá um tempo. Acha que não sei o que isso significa? *Você mudou meu nome.*"

"Na verdade, não usei nomes. Não atribuí nome a nenhum personagem. Com exceção do cachorro."

"Jip? Jip também está na história?"

"Bem, não é exatamente Jip. Há um cachorro. Ele é um personagem importante. E tem nome: Apolo."

"É um nome de peso para um dachshund miniatura, não?"

"Ele não é mais um dachshund. Como disse, é ficção, é tudo diferente. Bem, nem tudo. Por exemplo, mantive o detalhe sobre tê-lo encontrado no parque. Mas você sabe como isso funciona. Você tira algumas coisas da vida, acrescenta outras, conta muitas meias-mentiras e meias-verdades. Então, Jip se torna um dogue alemão. E você, um inglês."

O homem resmunga.

"Você não poderia pelo menos ter me feito italiano?"

A mulher ri.

"Eis o que aprendi com Christopher Isherwood sobre transformar uma pessoa real em um personagem fictício. É como se apaixonar, ele diz. O personagem fictício é como o ser amado: sempre extraordinário, nunca somente outra pessoa. Então você exclui os detalhes de como essa pessoa é igual a qualquer outro ser humano. Em vez disso, concentra-se no que acha excitante ou intrigante sobre ela, as coisas especiais que fizeram com que quisesse escrever sobre ela em primeiro lugar, e você as exagera. Sei que todo mundo quer ser italiano. Mas, desde que o conheço, você sempre pareceu um britânico para mim."

"E você decidiu me transformar em um gói enquanto escrevia?"

A mulher ri novamente.

"Não. Mas deixei você um pouquinho mais mulherengo do que realmente é."

"Só um pouquinho?"

"Ah. Você está chateado."

"Você deve ter imaginado que eu ficaria."

"Sim. Admito que sim. Quando é que as pessoas gostam de que escrevam sobre elas? Mas eu tive que fazer alguma coisa. Como eu disse, a partir do minuto em que soube o que aconteceu, não consegui parar de pensar nisso. Então fiz o que se faz quando se é um escritor e se é obcecado por algo: você o transforma em uma história que espera que resolva o assunto ou, pelo menos, que o ajude a entendê-lo. Mesmo que saiba por experiência própria que isso praticamente nunca funciona."

"Sim, eu sei, você não precisa me dizer tudo isso. *E escritores realmente são como vampiros*, você não tem que me dizer isso também, tenho certeza de que é algo que eu lhe disse algum dia. Repito, não perdi a ironia. Mas, como pode ver, você me deu um baita choque. Não sei o que pensar.

O que você fez? Agora, posso dizer que parece uma traição. Sem sombra de dúvida, uma traição. E, depois da conversa que tivemos, tenho que perguntar: O que *me* torna um prato cheio para críticas? E você poderia, ao menos, ter esperado um pouco. Deus. Lá estou eu no hospital, no pior momento da minha vida, e você no computador produzindo páginas. Não é uma imagem muito bonita. Não. Na verdade, parece-me totalmente desprezível. Que tipo de amiga... que vergonha. Você não tem o que dizer, eu posso ver. Estou surpreso que você consiga me olhar na cara. E eu ouvi bem a respeito do cachorro? O *cachorro* é um personagem importante? Por favor, diga que nada ruim acontece ao cachorro."

VENÇA A PÁGINA EM BRANCO!

Parte 12

Isto que é vida, hein? Sol, não muito calor, boa brisa, o canto dos pássaros. Agora sei que você gosta de sol, ou então não estaria deitado debaixo dele, mas na sombra da varanda aqui comigo. Na verdade, esse sol deve ser muito bom para os seus velhos ossos. E você provavelmente acha a brisa do mar tão refrescante quanto eu. Sempre que sopra para a nossa direção você levanta a cabeça para farejar, e sei que seus trezentos milhões de receptores de odor estão captando muito mais do que o cheiro salgado que chega por meio dos meus miseráveis seis milhões. É difícil para uma pessoa cheirar mais de uma coisa por vez. Quando ouço alguém descrever um vinho como tendo um forte aroma de pimenta-do-reino seguido por notas de framboesa e amora, sei que está mentindo. Mostre-me o humano que pode diferenciar pelo cheiro uma framboesa de uma amora, mesmo sem ter que passar primeiro pela pimenta-do-reino. Mas o *seu* olfato, por outro lado, dezenas de milhares de vezes mais sensível que o meu, de acordo com a ciência canina — capaz de identificar uma maçã podre em dois milhões de barris —, é um sentido totalmente diferente.

Ainda mais surpreendente é poder distinguir os inúmeros aromas diferentes que chegam a você de todas as direções. Um poder como esse faz *todo* cachorro ser um Cão-Maravilha. É muita informação. Um poder como esse deixaria qualquer ser humano insano.

Penso em quando você me acordava no meio da noite, inalando cada centímetro de mim enquanto eu estava deitada no chão. Buscando informações. Quem eu era e que carta eu poderia ter na manga. Você ainda me fareja o tempo todo, mas nunca com o mesmo tipo de fervor investigativo.

De acordo com a ciência, você pode reconhecer não só o que eu comi no café da manhã, mas também o que jantei na noite anterior; quando lavei o *short* e a camiseta que estou usando e se usei ou não alvejante; aonde essas sandálias me levaram nos últimos tempos e a mudança de marca de filtro solar. Tudo isso seria moleza para você. Mas, agora que sei o que os cães podem fazer, nada me surpreenderia. A mulher que encontramos muitas vezes passeando com as vira-latas mãe e filha diz que os cães sabem ver a hora. Quando chego em casa do trabalho, ela diz, olho para cima e vejo minhas garotas na janela enquanto ainda estou a um quarteirão de distância. Elas sabem ver pela intensidade do meu cheiro no ar.

Acho que é justo dizer que, graças ao seu dom superior, você pode me entender melhor do que eu. Hormônios e feromônios o mantêm atualizado. Minha ansiedade em relação às aulas que recomeçarão em uma semana. Minhas feridas abertas. Meus medos escondidos. Minha solidão. Minha raiva. Minha tristeza sem fim. Você pode farejar tudo isso.

O que mais? Uma fração de células malignas ainda não detectáveis pela medicina? Placas e emaranhados se formando silenciosamente no meu cérebro, arautos da demência?

Supõe-se que um companheiro canino possa saber se a dona está grávida antes mesmo de ela própria descobrir.

Idem se ela está morrendo.

Não que o seu olfato seja como antes. A idade certamente o debilitou, assim como ocorre com as pessoas. E olha só o seu focinho: já foi uma ameixa-preta suculenta e agora está encrostado e cinza como carvão.

Eu estava dizendo: sol quente, brisa fresca — tenho certeza de que você gosta disso. Mas e do canto dos pássaros? Há um alimentador no quintal, e os pássaros são abundantes. Ouvimos chapins, pardais, tentilhões e pintarroxos ao longo do dia — exceto em certas horas, quando, misteriosamente, todos ficam em silêncio, como se tivessem ido à igreja.

Gosto dos sons dos pássaros, até mesmo do infeliz arrulho das pombas e dos gritos estridentes de gaios, corvos e gaivotas. Mas que efeito tem em você, que é indiferente à música artificial de qualquer tipo, a música da natureza?

Conheço pessoas que não apreciam o canto dos pássaros, que até o consideram irritante. Uma história sobre o regente Serge Koussevitzky queixando-se de acordar de manhã em Tanglewood por *todos aqueles pássaros cantando sem sintonia.*

Às vezes um pássaro chama sua atenção — como às vezes fazem os pombos da cidade — voando baixo ou pulando no gramado, mas nunca tentando você a persegui-lo.

Esquilos, coelhos e tâmias também aparecem, alguns se atrevem a chegar bem perto, mas nenhum deles precisa temer.

O gato do vizinho, preto e branco como você, observa-o da beira do gramado com os olhos entreabertos, telegrafando que não está impressionado.

Certa vez, um cão de aparência estranha atravessou o jardim correndo, furtivo e tão rápido que poderia ter sido uma alucinação. Só mais tarde me ocorreu: não era um cachorro, mas uma raposa.

Eu me pergunto se você já perseguiu alguma criatura na vida. Acho que sim. O instinto deve estar aí. A caça ao javali, afinal, está nos seus genes.

Não que eu não esteja feliz por estarmos todos no reino pacífico aqui. Eu não queria que fosse de outra maneira.

Acabo de me lembrar do meu antigo namorado treinando Beau para ficar parado por um minuto completo tendo um *hamster* na cabeça.

Tenho visto você abocanhar moscas e outros insetos, incluindo, para minha preocupação, aqueles com ferrões. E uma vez você comeu uma aranha enorme antes que eu pudesse detê-lo.

Ou talvez o *hamster* estivesse sendo treinado para ficar parado tendo a cabeça de um cachorro debaixo do traseiro.

Outro som constante aqui é o das ondas, o qual eu gosto de pensar que é tão relaxante para você quanto é para mim.

Na primeira vez em que fomos à praia, perguntei-me se você já tinha visto o mar, ou nadado, ou andado na areia. (Ver o tamanho de suas pegadas deve fazer algumas pessoas pararem para pensar se devem continuar a andar.) Felizmente, a praia fica a poucos minutos de distância. Nós só vamos quando o sol está baixo, de manhã cedo ou ao entardecer. Mesmo sendo curta, a caminhada nem sempre é fácil para você. Você anda devagar, cada vez mais devagar — *manquejando* é o termo que estou evitando aqui. Meu medo é que um dia até cheguemos bem lá, mas você não consiga voltar.

Na cidade, há pouco tempo, uma coisa assustadora aconteceu. Fazia um calor escaldante, o primeiro dia realmente ruim da estação, e nos dirigíamos para a sombra do parque. Mas, antes que pudéssemos chegar lá, e embora não tivéssemos ido longe, você parou, desmoronou e ficou ali no concreto, claramente angustiado.

Quase entrei em pânico, pensei que o perderia ali mesmo.

E como as pessoas foram gentis. Alguém correu até um café e voltou com uma tigela de água fria, que você bebeu avidamente sem nem se levantar. Então, uma mulher que passava parou, abriu o guarda-chuva e o ficou segurando para protegê-lo do sol; não tem problema se me atrasar para o trabalho, ela disse. Um homem em um carro nos ofereceu uma carona, mas eu sabia que você teria problemas para entrar no banco de trás, e então, felizmente, você se restabeleceu e fomos capazes de caminhar para casa.

Agora toda vez que passeio com você fico com o coração na boca.

Mas você precisa caminhar, diz o veterinário. Você precisa fazer pelo menos algum exercício todos os dias.

A medicação está funcionando, ele me diz. Os analgésicos e anti-inflamatórios garantem que, embora você nem sempre esteja totalmente sem dor, não esteja em agonia. O que pode mudar, claro, e *isso* é uma agonia para *mim*. Pois como vou saber?

Assombrada pela descrição de Queenie no fim da vida feita por Ackerley: *Ela começou a virar o rosto para a parede, a virar as costas para mim.* Esse foi o momento, o sinal que indicou que ele deveria... assassiná-la.

Você vai me fazer saber, não vai? Lembre-se, sou apenas humana, não estou nem perto de ter sentidos aguçados como você. Vou precisar de um sinal para indicar quando for demais.

Não vejo isso como interferir na natureza, brincar de Deus ou, como alguns preferem, intrometer-se na jornada espiritual de um ser, sua passagem do bardo. Vejo isso como uma bênção. Quero para você o que quero para mim.

E eu estarei lá, claro. Estarei com você naquela última viagem ao veterinário.

Pensei que o momento havia chegado ontem, quando você deixou o café da manhã intacto. Ofereci um pedaço do pão do meu café da manhã, que você comeu na minha mão. (*Como comungar juntos.*) À noite, porém, seu apetite retornara.

Então, não vamos pensar mais sobre isso. Vamos olhar para este dia e somente este dia. Este presente de uma manhã de verão perfeita.

Mais um verão. Pelo menos você tem isso.

Mais um verão para ficar esticado e contente ao sol.

E pelo menos eu consigo dizer adeus.

Estou falando com você ou comigo mesma? Confesso que o limite ficou obscuro.

As semanas antes de virmos para cá foram tão difíceis. Já faz um tempo que você não consegue subir e descer cinco lances de escada, então começamos a usar o elevador.

Foi tranquilo com a maioria dos vizinhos. Agora eles estão acostumados a nos ver, e apenas uma pessoa, uma enfermeira aposentada cujo marido morreu de leucemia no ano passado, questionou sua designação como animal de apoio. Mas até ela comentou como você é bem-comportado e como se encolhe para não ocupar muito do espaço apertado do elevador. E outros moradores, muito parecidos com as pessoas que encontramos o tempo todo, ficam claramente encantados quando veem você, encantados da maneira como as pessoas costumam ficar com algum tipo de gigante gentil.

Mas o odor cada vez mais pungente de seu pelo, o cheiro fétido de seu hálito e a baba viscosa — particularmente naquele espaço apertado, agora sufocante no calor — eram cada vez mais difíceis de ignorar.

E então: o inevitável tão temido. No elevador, no corredor, no saguão acarpetado. Dificilmente passou um dia sem um acidente. E em nenhum outro lugar o problema era pior do que no apartamento. Jesus, cheira a estábulo, disse um entregador. Outro disse zoológico. Hector, Deus o abençoe, não disse nada.

Três tapetes, o sofá e a cama tiveram que ir embora. Comprei um segundo colchão de ar, e começamos a dormir lado a lado nos dois colchões no chão.

Eu fiz o que podia, esfregando e esfregando vigorosamente, usando litros de desinfetante por semana. Mas o trabalho passou a ser hercúleo, e o odor nunca desapareceu. Impregnou o piso de madeira, as estantes. Está em todas as minhas roupas — do jeito que a fumaça do cigarro ficava quando eu tinha vinte e poucos anos — e, às vezes temo, na minha pele e no meu cabelo.

É ruim, mas não *tão* ruim assim, disse o amigo que sempre foi mais compreensivo com a minha situação. O que você precisa fazer é fugir por um tempo, deixar o lugar arejar.

Quando eu estava prestes a me desesperar, ele veio em nosso socorro.

Minha mãe teve que ir para um lar de idosos, ele disse. Ela tem uma casa em Long Island, onde passava os verões. Acabamos de vendê-la, mas só a entregaremos aos novos donos depois do Labor Day, na primeira segunda-feira de setembro. Eles estão planejando esvaziar a casa e reformá-la inteira, então não se preocupe com os danos que o cachorro possa causar. E, de toda maneira, ele poderá ficar ao ar livre na maior parte do tempo. Não fui muito para lá neste verão. Tenho que trabalhar, e odeio pegar a estrada nos fins de semana, especialmente em agosto, quando os congestionamentos ficam uma merda. São apenas duas semanas, e você precisa delas mais do que eu. Sua vida será muito mais fácil lá, você verá. Enquanto estiver fora, se quiser, posso ver o que dá para fazer no seu apartamento.

Meu herói.

Ele até mesmo nos trouxe até aqui com o seu SUV.

Fazer você entrar no veículo sem machucá-lo foi mais um obstáculo. Hector apareceu com uma rampa improvisada: uma porta velha que estava guardada no porão do prédio.

Não há escadas com as quais nos preocupar aqui, apenas dois pequenos degraus até a varanda. E não há necessidade de carro. Posso pedalar os dez quilômetros até a cidade para fazer compras. Daqui a uma semana, quando tivermos que deixar a casa, nosso amigo virá nos buscar com o seu SUV.

Na primeira noite aqui caiu uma tempestade impressionante. Nós dois nos agarramos sob um teto que ressoava como se estivesse sendo bombardeado. Choveu a noite toda, e pela manhã veio a calmaria. Era como se alguma membrana tivesse sido retirada para revelar um mundo totalmente novo, brilhante e limpo. Quase se podia ouvir a "Ave-Maria" de Schubert. Quase se podia sentir o cheiro do azul. E todos os dias desde então têm sido gloriosos.

Na praia, geralmente ao entardecer, às vezes vemos outra dupla: um jovem, sem camisa, bronzeado, a pele com um tom de caramelo, o cabelo louro-claríssimo — um verdadeiro rato de praia — e seu weimaraner. Observamos o cão mergulhar para buscar o graveto que o homem sucessivamente joga para ele. Que braço tem o rapaz. Longe, longe, navega o graveto. Longe, longe, nada o cão, repetidamente, vencendo onda após onda, incansável. Uma visão emocionante. Como ele parece delirantemente feliz, triunfante, correndo de volta para deixar cair o graveto aos pés do dono.

Não posso reprimir um lampejo de inveja ao observar essas duas criaturas jovens e fortes brincando. Mas só eu me sinto assim. *Você* assiste a tudo com sua calma habitual. Você não conhece a inveja. Não tem aspirações nem nostalgia. Não tem arrependimentos. Você é realmente uma espécie diferente.

Achei que o tempo fosse passar mais devagar, por eu estar tão ociosa. Lendo Elmore Leonard, maratonando *Game of Thrones*, preparando uma aula — foi isso. Vivendo de sanduíches, na maior parte do tempo, e com preguiça até mesmo de prepará-los, indo comprar dois por dia na lanchonete e algumas frutas na banca, só mesmo o suficiente.

Hora após hora me sentei nesta varanda, apenas pensando. Por exemplo, sobre o terapeuta — você se lembra dele? Estive pensando em algumas coisas que ele disse. Suicídio é contagioso. Um dos indicadores mais fortes de suicídio é conhecer um suicida. Claro que eu sabia aonde ele queria chegar, o Doutor Óbvio. Lembro-me de contar a ele sobre o meu sonho, o homem de casaco escuro na neve. Ele estava acenando para mim — se apresse, corra — ou me avisando para parar?

Eu estava pensando sobre isso porque tive o mesmo sonho há algumas noites. Só que agora, em vez de um campo com neve, estávamos em algum tipo de campo de batalha. Bombas explodiam, soldados puxavam o gatilho e disparavam. E dessa vez foi um pesadelo total.

É uma prática clínica comum pedir a uma pessoa que está falando sobre suicídio que descreva como faria isso. Quanto mais específico for o plano, mais alto será o alarme. Agora, se eu estivesse pronta para dizer adeus mundo cruel, esse seria o lugar perfeito. Eu me jogaria no mar, nadaria o mais distante da costa que conseguisse. O que não seria muito longe. Sou uma nadadora tão ruim que nunca estive em águas mais profundas do que a minha altura.

Mas não ouvi dizer que o afogamento é o pior jeito de morrer? Tenho certeza de que li em algum lugar. A pergunta é: como se pode saber isso?

A única experiência que ela jamais descreverá.

Diz, mar, leva-me. A poeta está falando de Amor ou de Morte?

Nada mudou. Continua sendo muito simples. Eu sinto a falta dele. Eu sinto a falta dele todos os dias. Eu sinto muito a falta dele.

Mas como seria se esse sentimento tivesse desaparecido? Eu não gostaria que isso acontecesse.

Eu disse ao terapeuta: deixar de sentir a falta dele não me faria feliz.

Você não pode apressar o amor, como diz a música. Você também não pode apressar a dor.

Tenho essa ideia de que ele fez o que os outros antes dele ficaram conhecidos por fazer: convencer a si mesmo de que aqueles que deixaria para trás ficariam bem. Ficaríamos em choque por um tempo, então pesarosos por um tempo, então superaríamos, como as pessoas fazem. O mundo não acaba, a vida sempre segue em frente, e nós também seguiríamos em frente, fazendo o que quer que precisássemos fazer.

E se era isso o que *ele* tinha que fazer para não sofrer, acima de tudo, a dor da culpa, está tudo bem comigo. Está tudo bem comigo.

Claro que eu tinha a preocupação de que escrever sobre isso pudesse ser um erro. Você escreve uma coisa porque está esperando resolvê-la. Você escreve sobre experiências em parte para entender o que elas significam, em parte para não perdê-las no tempo. Perdê-las no esquecimento. Mas há sempre o perigo de o oposto acontecer. Perder a memória da própria experiência para a memória do ato de escrever sobre ela. Como as pessoas cujas memórias dos lugares para onde viajaram são, de fato, apenas as memórias das fotos que tiraram. No final, a escrita e a fotografia provavelmente destroem mais o passado do que o preservam. Portanto, isto pode acontecer: ao escrever sobre alguém que você perdeu — ou, então, ao falar muito dele —, você pode estar enterrando-o para sempre.

A questão é que, mesmo agora, ainda não posso dizer com certeza se eu estava ou não apaixonada por ele. Eu me apaixonei poucas vezes, nunca duvidei disso. Mas ele... Bem, o que importa agora? Quem pode dizer? O que é o amor? É como a tentativa de um místico de definir a fé, que me lembro de ter lido em algum lugar: *Não é isso, não é aquilo. É assim, mas não é isso. É assim, mas não é aquilo.*

Mas não é verdade que nada mudou. Não é que eu agora use palavras como *cura* ou *recuperação* ou *encerramento*, mas estou ciente de algo diferente. Algo que parece uma preparação, talvez. Não ocorreu ainda, mas está para acontecer uma libertação. Um desapego.

Mensagem de texto: *Como você está? Seu apartamento ficou pronto!*

Meu herói.

Agora estou pensando na mulher que é dona desta casa. Que era. Uma mulher que não conheci. Exceto pelo essencial, os três pequenos quartos foram esvaziados. Deixada para trás, provavelmente por engano: uma foto em preto e branco com moldura prateada pendurada na parede do quarto. Um casal, sem dúvida ela e o marido, de pé ao lado de um carro. (Por que as pessoas antigas sempre posavam para fotos de pé ao lado de um carro?) Ele com seu uniforme do Exército dos Estados Unidos, ela seguindo a moda da época: ombreiras, cabelo arrumado em rolinhos no topo da cabeça, sapatos de Minnie Mouse. Bonito/bonita. Jovens. Apenas crianças. Sei que ele morreu há mais de uma década. Parece que ela estava indo muito bem sozinha até o ano passado, quando, de uma só vez, tudo começou a falhar. De nadadora e jardineira cheia de energia, além de craque em solucionar palavras cruzadas, ela se tornou praticamente desamparada. Sem pernas, sem olhos, sem orelhas, sem dentes, sem fôlego. Quase sem memória. Cada vez menos mente.

Quando foi que ela plantou as rosas? Estão em plena e magnífica floração, vermelhas e brancas. Uma fragrância para fazer você exclamar *Aaah*. Penso quanto elas devem tê-la deixado satisfeita, ano após ano, e orgulhosa. E o que me deixa triste não é o pensamento de que ela deva sentir falta delas, mas o de que ela não é mais capaz de sentir falta delas. Daquilo que sentimos falta — o que perdemos e o que lamentamos — não é o que nos torna quem, no fundo, realmente somos. Sem mencionar aquilo que queríamos na vida, mas nunca conseguimos ter.

Isso é definitivamente verdadeiro após certa idade. E essa idade ocorre mais cedo do que gostaríamos.

Vejo que o sol nocauteou você. Mas não vamos exagerar, hein. Pode chegar a trinta e dois graus hoje.

Talvez eu deva pegar um pouco de água para você. E, aproveitando, um bom copo de chá gelado para mim.

Ah, veja só. Borboletas. Um bando inteiro delas flutuando como uma pequena nuvem branca sobre o gramado. Acho que nunca vi tantas voando juntas assim, embora não seja incomum vê-las em pares. Borboleta-branca-da-couve, acho. Estão longe demais de mim para eu enxergar se há bolinhas pretas nas asas.

Elas devem tomar cuidado com você, seu comedor de insetos. O abrir e fechar dessas mandíbulas abocanharia a maioria delas. Mas lá vão elas, voando até aí, como se você não passasse de uma pedra gigante assentada na grama. Eles chovem em você como confetes, e você... não dá nem uma encolhidinha!

Ah, que som é esse? O que aquela gaivota pode ter visto para gritar desse jeito?

As borboletas voam novamente, afastando-se, indo em direção à praia.

Quero chamar seu nome, mas a palavra morre na minha garganta.

Ah, meu amigo, meu amigo!

Agradecimentos

Obrigada, Joy Harris. Obrigada, Sarah McGrath.

Agradeço também à Fundação Civitella Ranieri, à Saltonstall Foundation for the Arts e à Hedgebrook, pelo apoio generoso.

Um excerto deste livro foi publicado na *Paris Review*. Obrigada, Lorin Stein.

Sigrid Nunez nasceu em 1951, em Nova York, onde mora até hoje. É filha de uma alemã e de um panamenho de origem chinesa.

Graduou-se em 1972 no Barnard College e obteve o mestrado na Universidade Columbia (1975). Lecionou em prestigiosas instituições de ensino, como Amherst College, Universidade Columbia, New School, Universidade de Princeton e Smith College. Atualmente, é escritora visitante da Universidade de Syracuse e, a partir do segundo semestre de 2019, será escritora residente na Universidade de Boston.

Em 1989, recebeu o prêmio da Fundação General Electric para jovens escritores e, em 1993, o Whiting Writers' Award. Também foi laureada com dois prêmios da Academia Americana de Artes e Letras: o da Fundação Rosenthal (1999) e o Rome Prize de Literatura (2000-2001).

Ganhou o Berlin Prize, uma bolsa de estudos concedida pela Academia Americana em Berlim, em 2005. Também é membro da Academia de Artes e Ciências dos Estados Unidos.

Entre os jornais e as revistas para os quais escreveu estão *The New York Times*, *The Wall Street Journal*, *The Paris Review*, *Threepenny Review*, *Harper's*, *McSweeney's*, *Tin House* e *The Believer*.

Seu primeiro romance, *A Feather on the Breath of God* [Uma pena no sopro de Deus] (1995), foi considerado "uma estreia notável" pela revista literária e cultural *The Atlantic*. Parcialmente autobiográfico, conta a história da filha de um casal de imigrantes que mora em Nova York.

Naked Sleeper [A adormecida despida] (1996), seu segundo romance, tem como personagem principal Nona, uma mulher de meia-idade que é infeliz no casamento e na vida e procura uma saída para ambos. Sobre ele, o *Chicago Tribune* afirmou: "É difícil escrever sobre personagens que se preocupam com amor e destino sem parecer — ou fazê-los parecer — tolos. Mas Nunez foi bem-sucedida".

O livro seguinte foi *Mitz: The Marmoset of Bloomsbury* [Mitz: a sagui de Bloomsbury] (1998), a biografia fictícia da sagui de estimação de Leonard e Virginia Woolf. Já *For Rouenna* [Para Rouenna] (2001) é sobre uma enfermeira do Exército Americano que serviu no Vietnã, e o livro que veio em seguida, *The Last of Her Kind* [A última da sua espécie] (2006), retrata a vida de duas mulheres que viveram "a agitação cultural dos anos 1960". O romance tem alta carga dramática e aborda temas como justiça, questões raciais na América e idealismo político.

Seu sexto romance, *Salvation City* [Cidade da Salvação] (2010), é sobre uma pandemia global de gripe. O personagem central é um adolescente que testemunha a doença assolar os Estados Unidos. O *New York Times* considerou a narrativa "gratificante, provocadora e bastante plausível".

Em 2011, publicou o livro de memórias *Sempre Susan: A Memoir of Susan Sontag*. A *New York Review of Books* o chamou de "inovador e comovente". O *Los Angeles Times* afirmou que era uma obra "cuidadosa, repleta de detalhes cativantes, além de uma vigorosa defesa da mentora" de Nunez, a também escritora Susan Sontag.

E seu sétimo romance, *O amigo*, publicado originalmente em 2018, venceu o National Book Award na categoria Ficção. O prêmio enfim reconhece Sigrid Nunez como a escritora talentosa que não tem receio de abordar os mais variados temas — por vezes até espinhosos — de maneira elegante, poética, franca e sempre inventiva.

Este livro foi composto com as fontes
Arnhem e Post Box Regular e impresso sobre
papel Pólen Soft 80g/m² em Edições Loyola.